LES TURBULENCES D'UNE GRANDE FAMILLE

IL A ÉTÉ TIRÉ DE CET OUVRAGE
VINGT EXEMPLAIRES
SUR VÉLIN CHIFFON DE LANA
DONT DIX EXEMPLAIRES DE VENTE
NUMÉROTÉS DE 1 À 10,
ET DIX HORS COMMERCE
NUMÉROTÉS H.C. I À H.C. X,
CONSTITUANT L'ÉDITION ORIGINALE.

HENRI TROYAT
de l'Académie française

LES TURBULENCES D'UNE GRANDE FAMILLE

Biographie

LE GRAND LIVRE DU MOIS

AVANT-PROPOS

Si j'ai pu craindre parfois, en écrivant un roman, qu'un excès d'imagination n'entraînât mes héros dans des aventures par trop invraisemblables, j'ai appris, au cours de mon travail sur cet ouvrage, que les plus folles inventions des conteurs d'histoires ne sont rien auprès des incroyables péripéties de la réalité.

H.T.

« La fortune aime les gens peu sensés… La sagesse, au contraire, rend timide. »

ÉRASME, *Éloge de la folie.*

I

Tandis que la majorité des épouses, même revenues depuis longtemps de leurs illusions, continuent d'applaudir au succès du mari dans ses activités professionnelles, Mme Jules Lebaudy, née Amicie Piou, constate avec amertume que plus le sien réussit dans les affaires et moins elle est disposée à s'en réjouir. Pourtant, quand il a demandé sa main, en 1863, alors qu'elle avait seize ans, elle a estimé qu'elle avait beaucoup de chance d'être distinguée par un homme fait, qui avait le double de son âge, une apparence robuste et une fortune de sept à huit millions honnêtement gagnés à la Bourse. D'ailleurs, éduquée dans le respect des traditions bourgeoises, elle ne concevait pas de contrecarrer la volonté de ses parents. Son père surtout lui en imposait. Après avoir été procureur général à la cour d'appel de Lyon, il s'était vu élever à la présidence de la cour de Toulouse. Puisque ce symbole vivant de la justice considérait que le nommé Jules Lebaudy était digne d'épouser sa fille, Amicie ne pouvait que s'incliner et remercier. Certes, elle pensait, à part soi, que le prétendant, avec son début d'embonpoint, son visage irrégulier, son sourire rusé, ses petits yeux de renard profondément enfoncés dans l'orbite, ne correspondait pas à l'image du séducteur romantique dont s'enchantaient ses rêves d'adolescente. Elle l'eût préféré plus jeune, moins cassant, moins sarcastique, et doté de cette suprême élégance de manières qu'elle avait eu l'occasion d'admirer chez les personnes de noble condition. Mais elle voulait croire, comme elle l'avait entendu dire très souvent à sa mère, que c'était à la femme qu'incombait le soin de façonner le caractère du mari. Elle attendait donc avec espoir que celui-ci l'emmenât, dès le lendemain de la cérémonie, vivre chez lui, à Paris, dans le luxe, le scintillement et les fastes de la haute société. Et, de fait, tout se passa selon la rigueur et la pompe désirables. Après la bénédiction nuptiale par l'archevêque de Toulouse, le couple était parti pour un voyage de bonheur officiel en Italie. Malheureusement, il avait fallu s'arrêter à Nîmes et rebrousser chemin, parce que Jules Lebaudy était rappelé à Paris pour y traiter une affaire importante, qui ne souffrait pas de retard. Ce jour-là, Amicie avait deviné que son vrai plaisir, Jules Lebaudy ne le trouverait jamais auprès d'elle, mais qu'il continuerait à le chercher dans les officines de l'intrigue et de l'argent. De coup de Bourse en spéculation immobilière sur les terrains à bâtir dans la ville, il s'était vite enrichi de quelques flamboyants millions. A chaque performance financière, il matérialisait son succès en achetant un bijou à sa femme. Et il insistait pour qu'elle portât ces nouvelles acquisitions quand il leur arrivait de sortir dans le monde. Elle en était à la fois flattée et confuse. A ces moments, elle se souvenait des joueurs de billard qu'elle avait vus autrefois indiquant les points gagnants sur un marqueur automatique. Malgré la satisfaction qu'elle éprouvait à porter de jolies robes et des parures de prix, elle refusait d'être avant tout, pour Jules Lebaudy, un tableau d'affichage. Parlant de son mariage, elle disait même avec dépit : « Il m'a choisie à cause de ma jeunesse, comme on choisit une pouliche dans un haras ! » En échange des cadeaux qu'elle recevait régulièrement de lui quand il était dans une « bonne passe », selon son expression, elle lui en offrit bientôt un d'une tout autre valeur. Deux ans après leur mariage, elle donna le jour à une fille, Jeanne. A présent, les Lebaudy avaient une loge à l'Opéra, leur appartement était somptueusement décoré et meublé, les invitations pleuvaient sur ce couple aimé du ciel et de la Bourse, et Amicie dépensait sans compter pour ses toilettes. Sans être belle, elle avait des formes appétissantes, une pâleur songeuse et une chevelure d'un blond ardent qui forçait l'attention, sinon le désir des hommes. Très vite, elle avait pris le rythme et le ton en vogue dans la capitale. Sa passion de l'éclat, de la mode et du divertissement semblait inépuisable. Chaque soir était pour elle un prétexte de fête. Alors elle envoyait aux quatre coins de Paris des cartons d'invitation ainsi libellés : *Mme Lebaudy sera chez elle, tel jour, à 10 heures. On dansera.* Parfois, cette annonce imprimée était suivie d'une recommandation manuscrite : *Habit rouge de rigueur.*

Cependant, les danses de salon, les dîners en ville et les bavardages dans les foyers de théâtre ne suffisaient pas à détourner Amicie d'un souci de vérité foncière, qu'elle tenait peut-être de son père magistrat. Tout en valsant, tout en papotant, tout en flirtant, elle observait d'un regard aigu son entourage et principalement son mari. Plus elle prenait de l'assurance et moins elle concevait l'étrange obsession de cet homme pour qui l'argent primait tout. Certes, le peu qu'elle avait appris entre-temps du passé de Jules Lebaudy justifiait l'intérêt que celui-ci portait aux manifestations de la réussite ; certes, les difficultés financières de François Lebaudy, le père de Jules, un des pionniers du raffinage de sucre brut en France, avaient pu inciter ses fils, Jules et Gustave, à rechercher, dès la fin de leurs études, tous les moyens de gagner rapidement leur vie ; certes, Jules avait su exploiter avec astuce les fluctuations du marché des valeurs en raflant le maximum à chaque coup. Mais cette avalanche de millions dans son escarcelle aurait dû le guérir de la crainte d'un brusque revers de fortune et le guider vers des félicités supérieures, propres à tous ceux qui ne se soucient plus de la matérielle. Or, plus il s'enrichissait et plus il devenait insatiable. Sa passion des gros chiffres avait toutes les caractéristiques d'une sensualité effrénée. Il aimait l'alignement des zéros au bas d'une addition comme il eût admiré le corps d'une femme se dévêtant pièce à pièce. Aucun événement politique ne le détournait de cette hantise et certains l'incitaient même à tenter un nouveau bond en avant. Ainsi, la chute de Louis-Philippe, puis l'arrivée au pouvoir de Napoléon III lui avaient servi de tremplin dans des transactions dont il était sorti vainqueur. Loin de l'affranchir de son idée fixe, son mariage et la naissance de sa fille lui étaient apparus comme la justification de ses plus folles entreprises. Désormais, il avait une raison patriarcale, donc sacrée, de s'emplir les poches. Il ne travaillait plus pour sa seule satisfaction, mais pour garantir le bien-être de sa famille. Sur ces entrefaites, un fils, Jacques, lui naquit, assurant la pérennité du nom. Jules Lebaudy fixa à quatre-vingt mille francs par an, tout compris, les dépenses du ménage et se réjouit de constater que son épouse avait à cœur de ne pas dépasser ce budget raisonnable. Tout en dirigeant d'une main ferme, avec son frère Gustave, l'usine familiale des raffineries Lebaudy, sises à la Villette, il se livrait à des spéculations hasardeuses dont certaines banques, telle celle des Rothschild, commençaient à prendre ombrage.

Ce fut vers cette époque qu'il s'installa, avec sa femme et ses deux enfants, dans un hôtel particulier de l'avenue Vélasquez, en bordure du parc Monceau. Amicie ouvrit un salon, fréquenté principalement — hélas ! — par les pontes de la finance et de l'industrie, et, profitant de ce climat de résurrection nationale, fit venir à Paris son père, François Piou, le président du tribunal de Toulouse, récemment admis à la retraite, et sa mère qui s'ennuyait mortellement en province. Ils s'installèrent non loin d'elle et cela incita le frère d'Amicie, Jacques Piou, orateur éloquent et fervent monarchiste, à rejoindre le petit groupe. Si les parents d'Amicie se tenaient discrètement à l'écart, Jacques Piou se montrait souvent avenue Vélasquez et étourdissait les amis de sa sœur par des discours politiques empreints de méfiance envers les principes républicains. En vérité, Amicie ne lui prêtait qu'une oreille distraite. Elle était si absorbée par la vie de tous les jours qu'entre ses fonctions de mère, de femme du monde et de maîtresse de maison elle n'avait pas le temps de s'interroger sur l'importance respective de ses trois rôles. Quant à celui d'épouse, elle le remplissait consciencieusement, sans entrain excessif, mais sans répugnance, dès que son mari manifestait le besoin de passer à l'acte. Selon ce qu'on lui avait enseigné, il n'était pas nécessaire d'être amoureuse pour se retrouver fécondée. La preuve en était que, peu de temps après ses relevailles, Amicie était de nouveau enceinte. Elle en déduisit qu'une femme normalement constituée pouvait n'être pas comblée par l'étreinte et l'être par le fruit. Le statut d'amante n'est que provisoire, alors que celui de mère est éternel, se disait-elle pour se consoler. Après Jeanne et Jacques, la famille s'était enrichie d'un troisième enfant, Robert ; puis un quatrième, Max, était venu au monde le 19 janvier 1873. Une fille et trois fils en quelque neuf ans de mariage ! Amicie n'en revenait pas d'être si prolifique en ayant si peu de plaisir, et son mari se rengorgeait de ses performances génésiques comme de ses meilleurs coups en Bourse. De même qu'il avait une prédilection pour certains titres financiers de son portefeuille, de même Amicie observait des nuances dans l'affection qu'elle portait à sa progéniture. Son préféré était le dernier-né, Max, qui, dès l'âge des premiers balbutiements, la désarmait par son regard vif et son sourire ingénu. Pourtant, très vite elle se ressaisit. Le faible qu'elle éprouvait à l'égard de cet enfant charmeur lui parut suspect. Son caractère entier prenant le dessus, elle en vint à se dire que son devoir n'était pas de jouer à la maman éblouie mais de préparer ses enfants, par une discipline sévère, aux hautes destinées dont elle rêvait pour eux.

C'était Max surtout, le délicieux bambin, qu'elle souhaitait dresser et aguerrir avant qu'il ne fût trop tard. Elle le sentait plus malléable, donc plus vulnérable, que ses autres enfants. Quand elle pensait à l'avenir, elle s'hypnotisait sur les dangers, pour les âmes pures, de la dégénérescence des mœurs dans cette abominable Troisième République. Ses parents, et plus tard son frère Jacques Piou, lui avaient enseigné une fidélité farouche aux Bourbons, le dégoût des bavardages parlementaires et l'espoir d'une Restauration qui seule, croyait-elle, pourrait stopper la descente du pays aux enfers. Même la présence du maréchal de Mac-Mahon à l'Élysée ne lui paraissait pas une garantie suffisante contre les progrès du scepticisme et de l'indécence chez ses contemporains. Bercée dans sa prime jeunesse par le ronron des romans sages d'Octave Feuillet et des vers sucrés de Sully Prudhomme, elle était révoltée par l'engouement d'un certain public pour les œuvres ordurières d'Émile Zola. Elle voyait un signe des temps dans cette ruée des lecteurs vers la pourriture. Alors que tant d'esprits éclairés se réjouissaient, autour d'elle, des nouvelles tendances de l'art, de la littérature et de la vie sociale, elle proclamait haut et fort que, si dans tous ces domaines les chantres de l'idéalisme étaient vaincus par les champions de la laideur et de la vilenie, la France serait à jamais perdue. Cette prise de position d'Amicie contre le cynisme et la crudité pouvait surprendre de la part d'une femme dont le mari incarnait, pour bien des gens, le réalisme en marche. Or, elle était d'autant plus convaincue d'avoir raison que c'était en songeant à l'avenir de ses enfants qu'elle adoptait cette attitude extrême. Elle les voulait purs et droits, à contre-courant du mouvement d'émancipation qui enfiévrait les cervelles de la jeunesse. Le monde changeait trop vite à son gré. Même la future Exposition universelle, dont les travaux avaient déjà commencé, lui semblait condamnable, car cette gigantesque entreprise servirait immanquablement de vitrine à toutes les formes de l'orgueil et de la prospérité.

En 1878, la voix puissante de Gambetta, appelant de ses vœux l'instauration d'un véritable régime démocratique dans le pays, l'indigna comme la négation de tout le passé prestigieux de la France et une invitation à quelque nouvelle révolution de la lie prolétarienne. Le péril lui parut si proche qu'elle pensa d'abord à sauver sa fille en la mariant à un homme de qualité. Or, un prétendant de cette sorte ne pouvait être qu'un adversaire des compromissions politiques et des traquenards financiers où se complaisait son mari. Justement, il y avait dans le sillage de Jeanne, qui allait avoir seize ans, un obscur journaliste, se faisant appeler Edmond, comte de Fels, et dont la galante insistance n'avait d'égale que l'évidente pénurie financière. Sans se l'avouer, Amicie était amusée par ce désaveu sentimental opposé aux idées matérialistes de son époux. Elle se dit qu'après tout ce faux ou vrai comte de Fels était quelqu'un qui, comme elle, attachait plus d'importance au nom qu'à l'argent et que, dans ces conditions, il fallait encourager une inclination aussi désintéressée. Pendant qu'elle surveillait les progrès de l'idylle, des événements d'une tout autre importance agitaient le pays. Électrisés par l'éloquence de Gambetta, les députés le portaient à la présidence de la Chambre ; puis c'était Jules Grévy — encore un homme de gauche ! — qui remplaçait Mac-Mahon à l'Élysée. En 1880, la Chambre, toujours dominée par Gambetta, osait narguer, une fois de plus, l'honneur monarchique en instituant une fête nationale, le 14 juillet, afin de célébrer l'anniversaire de la sanglante Révolution française.

Si Amicie fut profondément affligée par cette victoire des forces du mal, Jules Lebaudy n'y vit aucun inconvénient, puisque ses entreprises d'enrichissement personnel n'en étaient pas affectées. La politique ne le concernait que dans la mesure où il pouvait tirer profit des circonstances pour empocher quelques millions supplémentaires. Ses informateurs le tenaient au courant des moindres rumeurs qui filtraient de l'Élysée, des Assemblées ou de la Bourse. Ainsi suivait-il de très près les variations de la cote des actions de la banque de l'Union générale, laquelle jouissait de la confiance des capitalistes, particulièrement dans les milieux catholiques. Certes, il y avait des voix qui s'élevaient çà et là, à droite, pour regretter l'intérêt que des banques juives manifestaient également pour l'Union générale, mais, dans l'ensemble, les actionnaires acceptaient la composition hétérogène des actifs de la société. Cette cohérence apparente encouragea des apports frais dans les caisses de la banque, et bientôt les actions de l'Union générale s'envolèrent avec la joyeuse liberté des hirondelles au printemps. Alors que la rumeur publique portait aux nues la compétence et la sagesse de Bontoux, président de cet établissement modèle, et du directeur, Feder, Jules Lebaudy, subodorant les dangers d'une croissance trop rapide, eut l'idée d'en profiter, par une manœuvre de captation aussi simple que radicale. Une nouvelle euphorie boursière ayant salué l'avènement du ministère Gambetta, le 15 novembre 1881, il estima que la hausse des valeurs de toute espèce, y compris celles de l'Union générale, était exagérée et que le moment était venu de déclencher une offensive de grande envergure. Pour commencer, il fit racheter des actions par des prête-noms et attendit patiemment que sonnât l'heure de vérité. Le 26 janvier 1882, le cabinet Gambetta était renversé et l'espoir changeait de camp. Saisi par une crainte prémonitoire, le public regrettait les achats qu'il avait faits dans une période faste. Profitant de ce début de panique, Jules Lebaudy jeta sur le marché une énorme quantité de titres de l'Union générale, ce qui eut pour effet de précipiter la chute des cours. Tandis que les petits épargnants se ruaient à la banque pour tout vendre à perte, il calculait le bénéfice qu'il retirerait après la troisième étape de l'opération. Des files de misérables dupes piétinaient devant les guichets fermés ; il y avait là aussi bien de modestes rentiers que des commerçants, des industriels, des artisans, des concierges et des « fils de famille » mal conseillés. Déjà les financiers catholiques accusaient les financiers juifs d'avoir manigancé ce massacre des innocents, cependant que les gens de droite y voyaient une perfidie supplémentaire des élus de gauche. Sans la moindre pitié pour ces centaines de victimes, Jules Lebaudy lisait avec délectation les commentaires éplorés de la presse sur cette gigantesque manœuvre d'attrape-nigauds. Dès que les derniers porteurs se furent dessaisis de leurs actions, il fit racheter le tout par des intermédiaires, pour une bouchée de pain. Puis, le marché s'étant assaini après quelques soubresauts et la cote des mêmes titres ayant retrouvé un niveau normal, il s'octroya le plaisir de réaliser posément le bénéfice de l'affaire. Le gain de cette farce tragi-comique s'élevait à une cinquantaine de millions[1].

Cependant, à la Bourse de Paris, les commis des agents de change n'avaient pas tardé à identifier entre eux le vrai responsable de cette valse criminelle des valeurs. Tous accusaient le richissime raffineur d'être le *deus ex*

1. Soit environ un milliard de nos francs actuels. En effet, il faudrait multiplier par vingt les chiffres donnés en francs au XIXe siècle pour obtenir une somme à peu près équivalente en francs à la fin du XXe. A titre indicatif, un contremaître touchait de quatre à huit cents francs par mois à l'époque des tractations de Jules Lebaudy.

machina de ce désastre national. Alors que, dès le 1er février 1882, le président du conseil d'administration de l'Union générale, Bontoux, et le directeur, Feder, étaient arrêtés et déférés à la justice, Jules Lebaudy continuait de se rendre à la Bourse comme si de rien n'était. Cette suffisance finit par exaspérer les habitués de la corbeille. Pendant une des visites de l'arrogant raffineur sur les lieux de ses exploits, il fut pris à partie par la foule, conspué, souffleté et couvert de crachats. En retrouvant sa femme, le soir, dans leur hôtel particulier de l'avenue Vélasquez, il ne put lui dissimuler sa colère et raconta en peu de mots l'humiliation qu'il avait subie de la part d'énergumènes « mal renseignés ». Tandis qu'il essayait d'effacer les traces de salive sur ses vêtements, Amicie fut incapable de participer à l'indignation de son mari ni même de le plaindre. Le toisant avec un froid mépris, elle se contenta de soupirer :

« — Allez vous changer, maintenant ! Vous me faites pitié [1] ! »

A quelques jours de là, Jules Lebaudy put

1. Cité par Marcel Barrière : *La Vie secrète de Mme Jules Baudley.*

craindre que le nouveau ministère, présidé par Freycinet, n'eût l'intention de le poursuivre en lui imputant la catastrophe de l'Union générale. Une fois de plus, l'intervention de certains personnages haut placés lui permit de tirer son épingle du jeu moyennant une honnête rétribution pour leurs démarches. Cette impunité achetée en secret, loin de soulager Amicie, la rendit plus intransigeante à l'égard d'un mari dont la prospérité était fondée sur la crédulité et le malheur d'autrui. Elle se demanda si elle avait encore le droit de partager la couche et de porter le nom d'un homme dont elle réprouvait la conduite et si son devoir de conscience n'était pas supérieur à son devoir d'épouse.

II

Si Jules Lebaudy n'avait guère été inquiété par la justice, l'opinion publique, elle, l'avait unanimement condamné. Ce qu'il avait gagné en argent, il l'avait perdu en estime. La dernière victime de cet ostracisme vertueux fut sa propre épouse, dont le salon se vidait de ses hôtes les plus remarquables. Les gens de bien se détournaient d'Amicie comme si elle eût été la complice de son mari dans le grandiose tripatouillage de l'Union générale. Au milieu de cette débandade, son ultime allié demeurait l'écrivain Maxime Du Camp, récemment élu à l'Académie française, et qui avait été un des proches de Flaubert. Bien que Du Camp eût participé jadis à l'insurrection de Garibaldi, Amicie était heureuse qu'il lui eût gardé sa confiance. Il s'était d'ailleurs racheté à ses yeux en dressant dernièrement, dans son ouvrage *Les Convulsions de Paris*, un furieux réquisitoire contre les communards de 1871. Face à lui, elle osait parfois se plaindre de la quarantaine où la tenait le monde parisien, alors qu'elle n'avait rien à se reprocher. Il tentait de la réconforter en invoquant la versatilité bien connue de leurs compatriotes. Or, si elle acceptait stoïquement un opprobre qu'elle n'avait pas mérité, elle redoutait que ses enfants ne fussent atteints, eux aussi, par la vague de l'impopularité. Son devoir, pensait-elle, était de les sauver de la contagion paternelle en les soumettant à une éducation de plus en plus rigoureuse. Pour leur apprendre le respect, elle ne les tutoyait jamais et exigeait d'eux la même réserve et la même distance. Mais son mari, dont les origines plébéiennes n'étaient pas une excuse, refusait d'obéir à cette règle de bon sens. Chaque fois qu'elle le surprenait prônant devant ses fils et sa fille la nécessité d'user de tous les moyens pour se tailler une place dans la société, elle croyait entendre le diable monté en chaire pour pervertir la jeunesse. Un jour, tirant de son gousset une pièce d'or, il l'avait montrée à Max avec un regard d'une fascinante malice et avait lancé, comme parole d'Évangile, cette phrase impie :

« — Regarde, voici le dieu unique auquel on doit tout sacrifier ! Tout le reste n'est que plaisanterie [1] ! »

Mais, pour Amicie, c'était justement cette « plaisanterie » qui donnait son véritable sens à une existence chrétienne. Enchaînée à un époux qu'elle n'aimait ni de corps ni d'esprit, trop pieuse pour envisager un divorce que la fameuse loi Naquet venait d'admettre, mais que l'Église condamnait, elle se considérait comme investie d'une mission sacrée : défendre sa progéniture contre les séductions de l'argent et, par conséquent, contre l'influence satanique de leur père. Pour clarifier ses idées, elle jugea indispensable de prendre du recul, quitta Paris dès les premiers jours de l'été et s'installa à Bougival, dans une charmante villa que possédait son mari, au-dessus d'une douce courbe de la Seine. Tout en se prélassant dans ce cadre bucolique, elle ne pouvait oublier qu'elle jouissait, ici comme avenue Vélasquez, d'un confort et

1. Marcel Barrière, *op. cit.*

d'un luxe achetés par un homme qui l'avait engrossée à quatre reprises et dont le nom était collé sur son front, telle une étiquette d'infamie.

Quand elle revint à Paris, elle n'avait pas changé dans ses sentiments envers Jules Lebaudy, mais elle constata que le vent de l'opinion avait tourné à l'indifférence, voire à l'indulgence, conformément aux prévisions de Maxime Du Camp. On ne parlait presque plus, dans les salons, de cette funeste affaire de la banque de l'Union générale, dont le président et le directeur, Bontoux et Feder, croupissaient en prison. Les victimes du krach remâchaient leur rancune dans l'ombre et la Bourse affichait maintenant des cours mirobolants qui attiraient les spéculateurs. Autres symptômes rassurants : la « Ligue des patriotes », fondée par Paul Déroulède derrière la forte stature du général Boulanger, gagnait chaque jour de nouveaux partisans de l'ordre et de la revanche ; puis, superbe cadeau de Nouvel An, l'affreux Gambetta mourait subitement, le 31 décembre 1882. Comme revigorés par la promesse d'une prochaine renaissance française, les anciens habitués du salon d'Amicie reparurent avenue Vélasquez, à ses jours de réception. Elle accueillait ces déserteurs repentis avec une grâce souveraine que les connaisseurs jugeaient conforme aux usages des plus grandes maisons du faubourg Saint-Germain.

Parmi les invités de ces réunions cancanières, Amicie cherchait celui qui eût mérité de devenir son gendre. Certes, Jeanne était toujours éprise, en secret, de son comte Edmond de Fels, à la généalogie compliquée, mais il n'était pas seul sur les rangs. Était-ce le charme de la jeune fille ou sa dot, dont on chuchotait le chiffre avec respect dans les antichambres des notaires, qui attirait les prétendants ? Si Amicie se montrait circonspecte, Jules Lebaudy l'était encore plus, mais pour d'autres raisons. Tout en souhaitant le bonheur de sa fille, il souffrait à l'idée de sacrifier une somme conséquente pour son établissement. Dès qu'il était question de tailler dans son cher capital, il éprouvait une douleur prémonitoire, comparable à celle d'un malade que le chirurgien s'apprête à amputer d'une jambe. S'étant fait « tout seul », selon son expression favorite, il estimait qu'un homme digne de ce nom ne prouvait sa valeur qu'en partant de zéro pour monter au zénith. Bref, il voulait bien d'un gendre entreprenant, mais non d'un gendre entretenu.

Telle n'était pas la philosophie d'Amicie qui persistait à dire que les questions d'argent étaient accessoires dans un couple au regard des qualités du cœur et de la naissance. Des mois passèrent ainsi sans que, de discussion en discussion, l'amour de Jeanne eût reçu l'approbation ni le refus de ses parents. Docile, la jeune fille attendait leur bon vouloir, comme Amicie, jadis, avait attendu que sa mère et son père fussent tombés d'accord pour la livrer, toute naïve, toute fraîche, à ce forban de Jules Lebaudy. En vérité, Amicie ne s'inquiétait que modérément des lenteurs entravant le choix d'un fiancé pour Jeanne. A tort ou à raison, il lui semblait que le moment était mal choisi pour élaborer des projets de mariage. Plus superstitieuse que pieuse, elle espérait des signes d'embellie, au-dessus de la France et du monde, pour agir dans les meilleures conditions. Ces signes lui apparurent au mois de juillet 1884, lorsque des élèves de l'école de Saint-Cyr arrachèrent les parties rouge et bleue du drapeau tricolore qui flottait sur les bâtiments de l'école pour ne garder que la partie blanche, symbole de la royauté ; l'année suivante, l'anticlérical Jules Ferry était renversé par un vote de la Chambre, le grandiose et prolifique Victor Hugo, monstre d'impiété et d'orgueil, mourait, pleuré par un peuple ignare, et était enseveli, hors religion, avec une pompe qu'Amicie trouvait ridicule ; pour couronner le tout, les élections législatives d'octobre, faites au scrutin de liste à deux tours, renforçaient notablement la proportion des conservateurs à la Chambre des députés. Sans partager la joie féroce de leur hôtesse devant le succès de la droite, les habitués de son salon ne lui ménageaient plus leurs sourires. Dans ce climat euphorique, Edmond de Fels osa enfin présenter officiellement sa demande. Elle fut examinée par Amicie avec beaucoup de sollicitude. Certes, le jeune homme n'avait pas de fortune et son père, Frisch de Fels, né de Heffingen, d'origine danoise, avait beau prétendre au titre de comte, la chose restait à prouver. Mais Edmond avait un physique agréable, du bagou, écrivait dans diverses gazettes, dont le très sérieux *Journal des débats*, et affirmait qu'après avoir débuté dans la presse il embrasserait la carrière diplomatique. Seul obstacle : il était de religion protestante. Mais il promettait de se faire baptiser catholique pour pouvoir épouser Jeanne avec la bénédiction de l'Église. Tant de bonne volonté, unie à tant de charme, détermina Amicie à donner son consentement. Ce faisant, elle avait l'impression de préférer la spontanéité au calcul, le cœur au portefeuille, la passion désintéressée à la louche spéculation dont elle avait si longtemps souffert aux côtés de son mari. Ce serait son coup de Bourse à elle, un coup de Bourse vertueux sur le marché des sentiments.

Restait à convaincre « le père ». Quand elle loua devant Jules Lebaudy les avantages de ce soupirant impécunieux, qui noircissait du papier et ambitionnait de devenir un jour — pourquoi pas ? — ambassadeur de France, il lui éclata de rire au nez. Après cet accès de franche hilarité, il traita la mère et la fille de têtes de linotte, nourries de mirages romanesques, et refusa catégoriquement de souscrire à leur folie. Puis, ayant obtenu des renseignements sur le prétendant par un ancien agent de la Sûreté à sa solde, il leur apprit que, d'après des rapports dignes de foi, le bel Edmond n'avait aucun avenir ni dans la presse, ni dans « la carrière », ni nulle part ailleurs. L'affaire paraissait d'autant plus mal engagée que les autres membres de la famille, loin d'approuver le rêve de Jeanne et d'Amicie, soutenaient Jules Lebaudy dans son animosité à l'encontre du candidat. Tandis que les douze ans de Max et son ignorance des choses de l'amour le dispensaient d'intervenir dans les débats qui agitaient les grandes personnes, ses deux frères, Jacques et Robert, en âge d'être consultés sur l'opportunité du mariage de leur sœur, prenaient ouvertement parti contre elle. Associés dans la gestion de la raffinerie Lebaudy, ils partageaient les idées de leur père sur l'importance primordiale de l'argent pour l'équilibre d'un couple. L'éducation rigoriste que leur mère avait voulu leur imposer dans leur enfance s'était retournée contre elle. Croyant leur former le caractère par la froideur et la sévérité, elle s'était aliéné le peu de tendresse qu'elle était en droit d'espérer d'eux. Sans se permettre encore de le lui dire en face, ils la voyaient sous les aspects d'une despote en jupons, qui s'obstinait à vivre selon une morale et une tradition surannées au risque de conduire ses proches au désespoir. Comment pouvait-elle se prétendre porteuse du flambeau de la vérité, alors qu'elle appartenait au monde des ténèbres de l'intolérance et de la superstition ? Un soir, comme elle s'efforçait de convaincre Robert que sa sœur serait heureuse en épousant l'homme qu'elle aimait, bien que celui-ci n'eût pas un sou vaillant, il haussa les épaules, déballa tout à trac, sous le nez de sa « chère maman », la rancœur qu'il avait accumulée depuis des années, l'assura que son frère aîné, Jacques, la jugeait aussi impitoyablement que lui, la menaça même, par jeu, de son poing levé, éclata de rire et s'enfuit en lui souhaitant bonne chance dans ses futures élucubrations matrimoniales.

Douchée par cette sortie haineuse d'un de ses fils, Amicie aurait pu renoncer au combat. Mais elle estima qu'elle s'était trop avancée pour reculer. Quand elle chevauchait une idée, il fallait plus d'un simple écart de sa monture pour la désarçonner. L'apostrophe outrageante de Robert, loin de la décourager, la piqua au vif et la détermina à hâter le mariage de Jeanne avec Edmond, sans tenir compte de l'opposition paternelle.

D'ailleurs, depuis quelque temps, Jules Lebaudy, agacé par les tergiversations qui entouraient le sort de Jeanne, se désintéressait de ce méli-mélo, trop féminin à son goût, pour s'occuper davantage de l'éducation de son fils cadet. Comme les résultats scolaires de Max, élève au lycée Condorcet, étaient notoirement insuffisants, il résolut de l'envoyer parfaire ses études à Canterbury. Cette initiative parut à Amicie le présage d'une manœuvre de captation et d'embrigadement. Il était clair, pour elle, que Jules Lebaudy, en cherchant à donner une instruction « internationale » au garçon, voulait le préparer à prendre sa succession dans les affaires de la raffinerie, et peut-être même dans ses agiotages effrénés à la Bourse. Après avoir pourri les aînés, Jacques et Robert, Jules Lebaudy caressait donc l'espoir d'atteler à son char le petit Max, si vulnérable, si sensible, et de l'entraîner ainsi sur la mauvaise pente. Elle avait déjà eu l'occasion d'observer la fascination que son mari exerçait sur l'enfant. A plusieurs reprises, elle avait tenté de faire comprendre à Max, sur le ton de la confidence, que son père avait ruiné sans scrupule des milliers de malheureux épargnants, que la majorité des gens, dans la profession, le tenait pour un escroc, qu'au seul nom de Lebaudy certains se signaient comme si on eût évoqué devant eux un émissaire du Malin : le gentil Max souriait, baissait la tête et n'en continuait pas moins à croire que « maman » exagérait et que « papa » était « le plus grand homme d'affaires de tous les temps ». Alors que le gamin s'obstinait à encenser son père, Amicie étouffait de rage et ne parlait de son mari qu'en l'affublant du sobriquet injurieux de « Grand Coquinos ».

Phénomène curieux, depuis que Jules Lebaudy avait expédié son fils en Angleterre, une correspondance libre et affectueuse s'était installée entre eux. D'une lettre à l'autre, le père manifestait sa satisfaction des progrès scolaires de l'enfant et celui-ci lui répondait avec gratitude et tendresse. Ces lettres, dont certaines avaient été interceptées par Amicie, la révoltaient comme les indices d'une sale trahison. Elle ne savait lequel des deux était le plus coupable : le père, à cause de ses tentatives pour séduire le fils malgré la distance, ou le fils, à cause de l'extrême candeur avec laquelle il se laissait emberlificoter par un homme sans foi ni loi. A plusieurs reprises, elle écrivit à Max pour le rappeler à l'ordre et lui conseiller d'éviter les effusions sentimentales dans les messages qu'il adressait à Paris. Mais elle devinait que ses admonestations ne servaient à rien et que, derrière son dos, la connivence épistolaire continuait de plus belle.

La pensée de cette complicité filiale la détermina à hâter le mariage de Jeanne et d'Edmond. Bravant la colère de son mari, elle partit avec les jeunes gens, qu'elle considérait déjà comme d'authentiques fiancés, pour un voyage en Italie. Cette cohabitation au soleil de Rome avait un caractère assez compromettant pour rendre le mariage inéluctable. C'était du reste le but principal de l'opération. En étudiant à loisir l'attitude des tourtereaux, Amicie ne tarda pas à se convaincre qu'ils étaient faits l'un pour l'autre. Même innocence, même crédulité, même aversion pour les requins de la finance qui hantaient les abords de la Bourse. D'ailleurs, les derniers renseignements glanés par Amicie sur la famille Frisch de Fels, issue des de Heffingen, dont l'ascendance comptait de nombreux consuls de Suède et du Danemark, étaient fort honorables. Il manquait à

Edmond un titre plus éclatant. Qu'à cela ne tienne ! Amicie usa de son influence auprès des services du Vatican et Edmond Frisch de Fels obtint d'être nommé « comte romain » à l'occasion de son futur mariage avec Mlle Lebaudy, fille du grand raffineur et petite-fille de M. Piou, premier président de la cour de Toulouse[1].

En rentrant à Paris, Amicie apprit avec un muet soulagement que son mari relevait à peine d'une petite attaque cérébrale. Sa faiblesse étant extrême, il n'était plus question qu'il s'opposât aux volontés de sa femme. Le règne de Jules Lebaudy était bel et bien terminé. Amicie profita de la situation pour régler à sa guise les dernières formalités avant le mariage. Edmond s'était converti entre-temps au catholicisme ; Jacques et Robert avaient fini par baisser les bras ; et le cadet, Max, enfin revenu d'Angleterre, avait été placé dans l'institution Truchot, censée le préparer au baccalauréat. La cérémonie nuptiale eut lieu le 4 décembre 1888, à la mairie

1. *Dictionnaire des Familles françaises anciennes ou notables à la fin du* XIX*e siècle*, par Chaix d'Est-Ange (1927).

du 8e arrondissement et en l'église Saint-Augustin, mais n'assistèrent à l'échange de serments que les témoins des fiancés et la victorieuse et paisible Amicie.

Aussitôt après le sacrement, dont la discrétion ne diminuait en rien la valeur, le jeune couple partit pour Madrid, où Edmond avait obtenu, par protection, un poste d'attaché libre auprès de l'ambassade de France. Quand Amicie eut mis sa fille et son gendre dans le train, elle considéra qu'elle avait dignement rempli sa tâche. Pour en finir avec un passé conjugal qu'elle jugeait détestable, elle avait résolu de renoncer désormais au luxe, au clinquant et au confort de l'hôtel particulier de l'avenue Vélasquez. Au lieu de retourner auprès de son mari, elle emménagea, avec le délicieux serrement de cœur de la mortification, dans un petit appartement qu'elle avait loué à Saint-Cloud. Le loyer n'était que de trois mille francs par an. Elle n'employait comme domestique qu'une femme de ménage payée trois francs de l'heure. Sacrifiant sans un soupir sa garde-robe de parfaite mondaine, elle n'avait emporté que quelques vêtements très simples et déjà usés, ce qui lui permettait de passer inaperçue dans le voisinage. Ses trois fils étaient restés, sans rechigner, avec leur père. Elle ne le regrettait pas. Elle était même heureuse d'en être débarrassée. Au vrai, la transformation qui s'était opérée en elle, depuis l'époque de sa soif d'amusements superficiels jusqu'à celle de sa claustration et de son dépouillement volontaires, était si profonde qu'elle avait l'impression d'avoir changé d'identité et de peau en changeant d'adresse. Il lui arrivait de se dire que son nom de jeune fille, Amicie Piou, qui avait la grâce guillerette d'un pépiement d'oiseau, l'avait mal préparée à l'existence d'extrême dureté qui serait désormais la sienne. Personne au monde ne la comprenait, ni ne l'approuvait. Ses parents eux-mêmes étaient passés à l'ennemi. Sans doute M. et Mme Piou étaient-ils trop âgés pour s'opposer aux manigances de Jules Lebaudy. Habitués à la vie régulière et tranquille de Toulouse, ils estimaient que, pour préserver la paix de son ménage, Amicie aurait dû, dès le début, se plier aux exigences de son mari, fussent-elles malhonnêtes. En y réfléchissant, elle trouvait étrange que, fille de juge, elle fût plus intransigeante que son père en matière d'équité. Le véritable magistrat de la famille, c'était elle. Du reste, son prurit de rigueur morale remontait très loin. Elle se rappelait que, dans sa jeunesse, elle avait follement admiré le caractère sévère et sanctifiant de mère Angélique, abbesse de Port-Royal-des-Champs, cette moniale qui, au XVIIe siècle, avait entraîné ses religieuses dans une discipline d'austérité et de franchise, offrant leur âme à Dieu et n'admettant aucune excuse aux erreurs humaines. Elle eût aimé lui ressembler, à plus de deux siècles d'intervalle.

Privée de ses fils, ayant quitté son mari et casé sa fille, elle était reconnaissante au vide et au silence nouveaux qui l'entouraient. Elle jouissait de sa solitude comme d'une récompense céleste. Elle y cherchait même un motif d'orgueil. Ce sentiment d'appartenir à une espèce originale, et sans doute supérieure, n'était pas absurde puisque, selon la chronique familiale, elle avait du sang bleu dans les veines. Petite-fille, disait-on, d'une dame Ledalle de Kéréou, elle s'était incontestablement mésalliée en épousant Jules Lebaudy, qui n'avait ni origines, ni manières, ni prétentions aristocratiques. Pour un esprit exalté comme celui d'Amicie, la grandeur morale était inséparable d'une généalogie exemplaire. Toutefois, elle admettait que, dans certains cas, un individu issu du peuple pouvait mériter la considération de ses concitoyens en témoignant d'un dévouement sans bornes à son pays. Ainsi, le général Boulanger et les partisans de la Ligue des patriotes représentaient-ils, à ses yeux, le dernier espoir d'une France submergée par le mensonge, la lâcheté et la pourriture. Autant elle détestait le nom infâme de Lebaudy, qui la coiffait comme un bonnet d'âne, autant elle admirait celui de Boulanger, qui avait la saveur loyale du bon pain de France. En vérité, elle eût accepté crânement de s'appeler Mme Boulanger. Un tel rêve étant hors de sa portée, elle décida néanmoins de changer d'identité et de se faire agréer par les gens du quartier non plus comme Mme Amicie Lebaudy, mais comme Mme Amicie Ledalle de Kéréou et, plus simplement, comme Mme Amicie Ledalle, en souvenir de sa grand-mère qu'elle vénérait sans l'avoir connue. Mais était-il nécessaire de tout savoir d'un être pour se prévaloir de son parrainage ? Du jour au lendemain, Mme Lebaudy fut fière d'être prise par la concierge de son immeuble et les commerçants du coin pour une authentique Mme Ledalle.

III

Comment Jules Lebaudy se débrouilla-t-il pour amadouer à distance sa fille, dont il avait longtemps raillé les erreurs sentimentales, et son gendre, qu'il tenait pour un moins que rien ? De même que pour le petit Max, cette reprise en main fut menée à l'insu d'Amicie et échappa à sa méfiance. Aussi fut-elle stupéfaite en apprenant, au printemps de 1889, que Jeanne et Edmond quittaient Madrid pour venir à Paris, à l'occasion de l'Exposition universelle, et que Jules Lebaudy avait retenu pour eux un petit appartement dans le quartier du Roule. Ce père à éclipses s'arrangea pour être le premier à rendre visite aux voyageurs dès leur arrivée dans la capitale. L'entrevue du trio se déroula en secret d'Amicie et Jules Lebaudy scella la réconciliation par la promesse d'une dot de deux millions de francs, à verser immédiatement entre les mains d'un notaire. Avertie de cette alliance conclue dans son dos, Amicie s'en indigna comme d'une insulte personnelle et exigea des explications. Au cours d'une scène houleuse, elle rappela à son gendre le mal qu'elle s'était donné pour décrocher en sa faveur le titre de « comte romain » et fléchir la résistance de son mari à la veille des noces. Elle se dit trahie et outragée par deux êtres qu'elle avait considérés jusqu'à ce jour comme les plus proches de son cœur. Elle les menaça de sa vengeance et, pis encore, du châtiment céleste. Sa colère ne s'atténua même pas à la naissance du premier enfant du couple dénaturé, André. Il n'était pas son petit-fils, mais un quelconque rejeton venu au monde par hasard, dans le clan de ses ennemis. Cette avalanche d'anathèmes n'empêcha d'ailleurs pas le « maudit » de faire sa pelote au milieu d'une société « laxiste ». Profitant des libéralités de son beau-père, Edmond Frisch de Fels de Heffingen avait démissionné de son poste d'attaché d'ambassade, s'était définitivement fixé à Paris, avec femme et enfant, et jouait à la Bourse selon les conseils de Jules Lebaudy.

Confinée dans sa solitude bourgeoise de Saint-Cloud, Amicie suivait de loin les agissements d'une famille qui avait rompu tout lien avec elle. De temps en temps, elle se consolait en apprenant que la santé de son mari déclinait rapidement. Dieu avait-il enfin compris qui, ici-bas, devait être puni et qui pouvait être, à la rigueur, sauvé ? Sur les instances de ses médecins, Jules Lebaudy avait consenti à s'établir dans sa villa de Bougival, où l'air, disait-on, était meilleur qu'à Paris. Même éloigné du centre des affaires, il ne renonçait pas à ses tractations habituelles et se servait du téléphone, nouvellement installé jusque dans les environs de la capitale, pour dicter des ordres de vente ou d'achat aux agents de change. Toutefois, ayant pris conscience du peu d'années qui lui restaient à vivre, il s'inquiétait du sort de son fils cadet. Que deviendrait le gentil Max quand son père ne serait plus là pour le guider ? Ce garçon, qui n'avait encore que dix-sept ans, saurait-il résister à l'influence néfaste de sa mère, laquelle, au dire de Jules Lebaudy, préférait le Christ à ses enfants et la vie éternelle à la vie terrestre ? Max venait de rater son bachot ? Tant pis ! Ce n'était pas avec des diplômes qu'on gagnait de l'argent mais avec du flair et du culot ! Jules Lebaudy l'avait prouvé autrefois, Max le prouverait demain si sa mère ne l'en empêchait pas. Il fallait donc à tout prix le soustraire, dès maintenant, à l'empire d'Amicie et le préparer à l'existence large et indépendante qui serait la sienne une fois qu'il aurait touché la part d'héritage à laquelle il avait droit. Dans ces conditions, Jules Lebaudy déconseilla à son jeune fils de se représenter à la session de « rattrapage » du baccalauréat et lui recommanda d'oublier, une fois pour toutes, le fatras des études classiques. Pour l'aguerrir et le blaser en prévision des aléas de la vie, son père ne voyait qu'un moyen : lui passer tous ses caprices et lui ôter, par la satiété, le goût des tentations intempestives. C'est ainsi que, dès le mois d'août de l'année suivante, il lui acheta des chevaux de course, un yacht et l'envoya s'amuser à Nice, en pleine saison.

Sur la Côte d'Azur, royaume du tape-à-l'œil et des joies éphémères, le fils du richissime Lebaudy, âgé de dix-huit ans à peine, se fit de nombreux amis parmi les habitués du casino, les snobs des plages et les dames de courte vertu. Courant d'une aventure à l'autre, celui qu'on surnommait déjà « le Petit Sucrier », par allusion aux raffineries de son père, jetait l'argent par les fenêtres, souscrivait des billets à ordre sans se préoccuper du total, s'acoquinait avec des aigrefins et prêtait de fortes sommes à des courtisanes en renom, comme cette Liane de Pougy qui le remerciait par des lettres charmantes en l'appelant « mon petit Max ». Les échos des dévergondages de ce jeune millionnaire lâché parmi les fêtards de profession et les demoiselles à la cuisse facile parvenaient régulièrement à Paris. Les deux frères de Max, qui, jusque-là, ne lui avaient témoigné qu'une dédaigneuse indifférence, estimèrent qu'il était en train d'excéder la mesure. Passant du camp de leur père à celui de leur mère, ils dénoncèrent à Amicie les extravagances de leur cadet, ce « chouchou » d'un vieillard à demi gâteux, lequel, dans son état, ne savait plus dire non à personne. Mise au courant des frasques de l'adolescent à qui on avait laissé trop tôt la bride sur le cou, elle décréta que son devoir était d'y mettre fin au plus vite pour éviter que ce scandale ne rejaillît sur la famille. Mais, l'autorité parentale étant concentrée entre les mains de Jules Lebaudy, lui seul pouvait intervenir légalement. Or, il était tellement affaibli par la maladie qu'il eût été impossible de lui demander l'effort d'une prise de position catégorique dans l'affaire.

Était-ce dans l'ombre de ce mari haïssable qu'Amicie avait appris l'art d'utiliser tous les moyens de justice pour la défense de ses intérêts ? Toujours est-il qu'elle chargea son avoué de soumettre à la signature de Jules Lebaudy une plainte, exposant que son fils mineur, Max Lebaudy, domicilié chez lui, avenue Vélasquez, était actuellement la proie d'individus suspects qui abusaient de son inexpérience pour lui soutirer des sommes importantes. Une série de lettres, jointes au dossier, établissaient l'origine et le montant exorbitant des dettes dudit Max Lebaudy. En conclusion, le document exprimait sans ambages la requête de M. Jules Lebaudy contre les diverses personnes coupables d'avoir profité de la crédulité de son fils. Incapable de signer le document, ni même d'en prendre connaissance, Jules Lebaudy, la cervelle brouillée, pria l'avoué de le signer à sa place. L'acte, dont chaque mot avait été pesé par Mme Lebaudy, était daté du 21 janvier 1891. Or, la veille, Amicie avait reçu de Max une lettre qui était un pathétique appel au secours : « Tous ces temps-ci, j'ai été bien étourdi et bien peu affectueux à votre égard, je le reconnais et je vous en demande pardon, lui écrivait-il. Maintenant que j'ai vu, malheureusement pour moi, la vanité et le vide des choses et que j'ai senti combien pouvait nuire la vanité des gens, de mes proches parents même, tels que mes frères qui ne manquent aucune occasion de me rendre malheureux [...], je reviens à de meilleurs sentiments et je m'aperçois combien on a besoin de l'affection d'une mère. M. Gaudin [fondé de pouvoir de la firme Lebaudy] est maintenant chargé de me faire le plus d'ennuis qu'il est possible. A toutes ces manœuvres, on donne le nom d'intérêt qu'on me porte, on prétend que c'est le moyen de me ramener dans la bonne voie. J'ai été, ma chère mère, à l'âge de quinze ans, pour ainsi dire livré à moi seul. On comptait que je ferais les plus grandes bêtises, on l'espérait, Dieu sait pourquoi. Les prévisions méchantes ont été en grande partie déçues [...]. Aussi, ma chère mère, je viens vous demander de me porter un peu plus d'intérêt que ne le mérite ma conduite précédente ; je vous promets d'être maintenant ce que j'aurais dû toujours être à votre égard : un fils dévoué et respectueux. J'espère, ma chère mère, que vous me répondrez bien vite pour me prouver que vous m'aimez un peu et que vous voulez bien défendre votre dernier-né contre l'attaque des vilaines gens. »

Pas une phrase de cette lettre n'entama la farouche conviction d'Amicie. A son avis, Max était un adolescent contaminé par le cynisme et l'égoïsme de son père. Les rumeurs de spéculation dont la maison de l'avenue Vélasquez bourdonnait du matin au soir avaient développé en lui le goût de la jouissance, du mensonge et de la malhonnêteté. Il avait beau implorer le pardon de sa mère, elle ne l'aimait pas, elle ne l'aimerait jamais. Peut-être parce que son mari l'aimait trop. En tout cas, ce n'étaient pas quelques mots aimables, griffonnés à Nice entre deux parties de plaisir, qui la feraient hésiter au seuil de sa décision. Ce fut d'un cœur serein qu'elle laissa partir la plainte rédigée par son avoué.

A ce souci familial s'en était ajouté récemment un autre qui, débordant sa personne, menaçait la France. En suivant pas à pas la carrière de son idole, le général Boulanger, Amicie avait vibré d'enthousiasme au moment de son élection triomphale, en 1888, dans plusieurs départements et lors de la marche audacieuse du « général la Revanche », soutenu par une foule de partisans, sur l'Élysée. Elle avait partagé la fureur de ses plus fougueux émules quand il avait été arrêté comme un vulgaire brigand, inculpé de complot contre l'État et obligé de fuir en Belgique. La Ligue des patriotes ayant été dissoute et le plus grand des Français condamné par contumace à la détention perpétuelle, elle croyait avoir touché le fond du désespoir. Et voici que, comme si cette cascade de mauvaises nouvelles ne suffisait pas à blesser les honnêtes gens, elle apprenait par les journaux que « son » général, errant de Londres à Bruxelles, se détachait de sa noble ambition de « Réformateur » pour s'abîmer dans une banale histoire d'amour, que la mort de sa maîtresse, une certaine Mme de Bonnemain, le plongeait dans un chagrin comparable à celui qu'il eût éprouvé à une défaite militaire de la France et que, désorienté par ce double échec, il se suicidait d'un coup de revolver, tel un petit lieutenant sentimental, sur la tombe de sa bien-aimée.

Pendant cet intermède romanesque, qui occupait au premier chef les pensées d'Amicie, la santé de Jules Lebaudy s'était si gravement altérée que personne n'avait osé parler au malade de la requête introduite à l'initiative de sa femme. Ses fils, ses beaux-parents, quelques rares amis rendirent visite à l'agonisant dans sa villa de Bougival. Amicie, elle, ne se présenta pas une seule fois à son chevet. Elle avait le courage de ses opinions et détestait feindre un sentiment qu'elle n'éprouvait plus. Jules Lebaudy mourut le 30 mai 1892. En apprenant la disparition du « Grand Coquinos », qu'elle avait longtemps détesté avec une rage impuissante, elle eut l'impression de prendre enfin sa revanche sur un passé de honte, de laideur et d'iniquité. Elle se demandait si quelqu'un au monde pouvait pleurer un être de cette espèce qui n'avait vécu que pour et par l'argent. Fidèle jusqu'au bout à ses convictions, elle n'alla pas s'incliner devant le corps, n'assista pas aux obsèques et dédaigna de figurer en nom sur la liste des proches dans les faire-part.

A peine Jules Lebaudy eut-il été enterré au cimetière du Père-Lachaise que les héritiers se réunirent en l'étude de Me Delorme pour la lecture du testament. La succession du raffineur se révéla somptueuse. Elle comprenait d'excellentes valeurs mobilières et des immeubles de rapport dans les quartiers à la mode, nouvellement aménagés par Haussmann. Le total avoisinait les deux cent trente millions de francs [1]. Amicie, qui héritait pour moitié des biens de son époux, choisit parmi l'ensemble quelques titres de rente et une bande de terrain en bordure de la Seine. Ses quatre enfants reçurent l'autre moitié de l'actif paternel, ce qui laissait à chacun vingt-sept ou vingt-huit millions de francs [2]. Même mort, Jules Lebaudy assurait ainsi l'avenir de toute la tribu. Sa veuve ne lui en sut aucun gré. Elle refusa de se réinstaller dans l'hôtel particulier de l'avenue Vélasquez où elle avait été si malheureuse et voulut témoigner de son mépris de la richesse en s'astreignant à vivre dans l'ombre et le dénuement. Narguant le reste de la famille qui faisait étalage d'une

1. Soit plus de quatre milliards de francs actuels.
2. Soit plus d'un demi-milliard de francs actuels.

prospérité mal acquise, elle retourna dans son appartement de pauvresse. Par orgueil autant que par mortification, elle portait des vêtements défraîchis, se contentait d'un repas par jour, faisait elle-même ses courses dans le quartier, rentrait chez elle en tenant ostensiblement son cabas à bout de bras et saluait ses voisins avec une humilité affectée. Les mauvaises langues critiquaient cette millionnaire attifée comme une gouvernante besogneuse. Des journaux satiriques parlaient d'elle, sans la nommer, comme d'un « Harpagon femelle » qui ne se nourrissait que de sucre. Ces basses railleries égratignaient Amicie sans qu'elle daignât y répondre. En revanche, son gendre, outré par les piques répétées dont elle était l'objet, se mit en tête de défendre l'honneur de feu son beau-père et voulut la persuader d'attaquer les journalistes en diffamation. Comme elle évitait tout débat autour d'une question aussi délicate, il l'adjura, du moins, de changer de conduite et, par égard pour la réputation de la famille, de renoncer à ses allures misérables de chaisière, de se vêtir correctement et de se conduire désormais en personne consciente de son rang social. Ulcérée par ces admonestations d'un « parvenu », elle lui répliqua que, contrairement à lui, elle avait d'autres soucis dans l'existence que le qu'en-dira-t-on et les cours de la Bourse et que, dorénavant, elle ne voulait plus ni le recevoir ni entendre parler de lui. C'était la cassure. Amicie s'en réjouit, sans une pensée pour sa fille, avec qui elle venait, par contrecoup, de rompre les ponts à jamais.

Ayant réglé ses comptes avec le ménage de Fels de Heffingen, elle se dit que, dans la famille Lebaudy maintenant disloquée, il y avait encore une âme à sauver : celle de Max. Sans désemparer, elle s'y employa avec une énergie de missionnaire. Ses deux fils aînés, Jacques et Robert, étant majeurs, échappaient à son contrôle. Mais Max, encore mineur à cette époque, était soumis à la surveillance d'un conseil de famille et, à la mort de son père, sa mère avait été déclarée, comme de droit, sa tutrice. Or, le testament de Jules Lebaudy prévoyait qu'après lui sa maison de commerce s'ouvrirait à ses enfants pour leur permettre de continuer son œuvre de raffineur et de financier. Cette clause, apparemment généreuse, Amicie y décelait un traquenard destiné à faire tomber le plus jeune et le plus faible des Lebaudy dans le péché de la manigance et du lucre. Dès le 17 juin 1892, soit dix-huit jours après la mort de son mari, elle convoqua le conseil de famille et renonça, au nom de son fils mineur, au droit pour lui de succéder à son père dans l'entreprise.

Mais cette exclusion ne pouvait suffire, estimait-elle, à sauver le malheureux des mille sollicitations de la vie moderne. Pour l'en préserver, Amicie résolut de l'arracher au milieu d'oisifs et de fêtards où il se gobergeait. Écartant la solution radicale mais rude de la maison de correction, elle imagina de l'expédier dans une navigation instructive autour du monde, en compagnie de quelques hommes de science et de moralité, désignés par elle et obéissant à ses directives. Max se trouvait encore à Nice quand il fut mis au courant de ce projet. La perspective du dépaysement l'amusa et il y consentit d'enthousiasme. Aussitôt, Amicie engagea un jeune savant, le professeur Lapique, pour servir de mentor à son fils et se préoccupa de trouver un yacht et un équipage convenables. Le yacht choisi fut un navire de sept cents tonneaux, le *Sémiramis*, avec pour capitaine un marin d'expérience, Brosselard-Faidherbe. Comme Max, de plus en plus excité par la préparation de ce grand remue-ménage, insistait pour connaître la durée et les étapes du périple, le fondé de pouvoir de la firme Lebaudy, M. Gaudin, finit par lui avouer que le voyage durerait au minimum deux ans et qu'on visiterait, entre autres contrées exotiques, les îles de l'Océanie et le Tonkin.

A l'idée de rester confiné deux années consécutives à bord du *Sémiramis*, Max, qui s'était d'abord réjoui de cette longue promenade en mer, fut tout à coup saisi d'une peur panique. Sa mère ne cherchait-elle pas à l'éloigner de France pour mieux le tenir à sa merci alors qu'il serait coupé de son pays et de toute amitié secourable ? Ne lui imposait-elle pas la claustration dans une prison flottante pour l'empêcher de nuire à la réputation de la famille ou simplement de s'amuser ? Revenant sur son premier accord, il adressa lettre sur lettre à Amicie pour la supplier d'abandonner cette étrange proposition d'une éducation itinérante, bercée par la houle et le vent du large. Pour son excuse, il invoquait sa constitution fragile et sa crainte d'attraper le vomito negro, le béribéri ou quelque autre maladie épidémique des pays chauds. Mais il en fallait plus pour attendrir une personne aussi résolue que Mme veuve Lebaudy, alias Mme Ledalle. En réponse à ses lamentations, Max reçut, le 20 juillet 1892, par l'intermédiaire de Me Lanquest, notaire de Mme Lebaudy, un ultimatum lui annonçant que, du moment qu'il revenait sur « la parole d'honneur » donnée à sa mère, son allocation mensuelle lui serait supprimée, qu'il n'aurait plus le droit d'habiter l'hôtel particulier de l'avenue Vélasquez, que ses domestiques ne lui obéiraient plus, que le quantum de sa pension alimentaire serait fixé désormais par le tribunal et que son meilleur cheval serait vendu sous peu, car il n'en avait nul besoin dans les circonstances actuelles.

Cette fois, Amicie était sûre d'avoir ligoté son fils avec toutes les ficelles de la loi. Aussi fut-elle très étonnée d'apprendre qu'un huissier, s'étant présenté avenue Vélasquez pour signifier un exploit à Mme Jules Lebaudy, née Amicie Piou, et ne l'ayant pas trouvée sur place, continuait ses recherches dans l'espoir de la découvrir, cela à la demande de son fils. Ce fut dans son appartement de Saint-

Cloud, où elle se cachait sous le nom de Mme Ledalle, que la contre-attaque de Max l'atteignit soudain. Par un acte officiel que l'huissier lui remit en main propre, elle fut avisée que le dénommé Max Lebaudy se pourvoyait à son tour en justice. Le document, rédigé à sa requête, relatait l'origine du différend qui l'opposait à sa mère et accusait celle-ci de l'avoir « chassé de la maison paternelle et dépourvu du revenu de la fortune qui lui appartenait ». Il ajoutait que, contrairement à la décision prise par sa mère en qualité de tutrice, il tenait « essentiellement à rester intéressé dans l'entreprise paternelle » et qu'en conséquence il mettait en demeure ladite tutrice, ainsi que le conseil de famille, de fixer à nouveau et au plus vite le chiffre de la pension à laquelle il avait droit et de l'associer dorénavant à la marche de la raffinerie Lebaudy.

Devant cette rébellion d'un fils mineur qui aurait dû lui baiser les pieds pour la remercier de l'intérêt qu'elle lui portait encore, malgré le peu de satisfaction qu'il lui avait apportée dans le passé, elle répliqua du tac au tac avec toute la violence dont elle était capable. Selon ses instructions, son avoué,

Me Pérard, somma, par un acte comminatoire, le jeune Max Lebaudy d'embarquer immédiatement sur le *Sémiramis*, dont le départ devait avoir lieu, du port de Cherbourg, le 26 septembre 1892. « Si vous n'obéissez pas, stipulait le document, elle [Mme Lebaudy] vous prévient que toute pension vous sera supprimée, jusqu'à ce que vous ayez déféré à son autorité de tutrice. Elle se réserve en outre, en ce cas, d'aviser aux mesures qu'elle devra prendre pour vous soustraire aux entraînements que vous subissez en ce moment. » Me Pérard précisait par ailleurs que Mme Jules Lebaudy, dans un souci de bonne éducation, envisageait pour Max un voyage « d'agrément et scientifique », qui lui permettrait de visiter les Indes, le Japon, sans parler des autres contrées, au cours d'une croisière de deux ans et dans les conditions les plus confortables.

Indifférent à cette nouvelle mise en demeure par l'intermédiaire d'un avoué, Max répondit à sa mère, avec fureur et mélancolie : « Il me semble que vous ne voulez plus avoir avec votre enfant que des rapports d'intérêt. J'en suis bien attristé. Je vous le répète, il n'y a plus qu'un pas à faire pour que vous me traitiez comme un adversaire contre lequel on forme un dossier rempli du plus grand nombre de pièces compromettantes. [...] Un avoué ! des menaces ! un dossier ! le tribunal ! [...] Pourquoi cette procédure ? [...] Au Havre, quand, par déférence, je suis allé visiter le *Sémiramis*, ce bâtiment qui m'a donné l'impression d'une sombre prison, j'ai compris que tout était préparé pour m'emmener sans me laisser le temps de la réflexion et comme par surprise [...]. Il fallait m'éloigner pour des années sous la protection d'un capitaine qui, à bord, n'a d'autre maître que Dieu [...]. J'accepterais encore de partir si réellement, comme vous le dites, je perdais la santé. Mais ce n'est pas [le cas]. Ma santé [...] est excellente. Les médecins peuvent en témoigner. Quant à mon avenir, je le ménage avec un soin jaloux [...]. Je vis plus correctement que ne l'ont fait mes frères, quand ils étaient dans ma situation d'âge. [...] J'ajouterai, chère maman et tutrice, que je me sens assez sérieux pour me conduire seul, puisque c'est là, désormais, ma vraie situation. » Pour terminer, Max suggérait à sa mère, qui voulait tant lui apprendre une saine discipline, de l'autoriser à s'engager comme soldat « à partir du 1er octobre prochain. »

Cette fois, Max était convaincu que sa mère serait touchée et qu'il recevrait d'elle, par retour du courrier, une lettre de tendre gronderie et de souriante acceptation. Or, ce fut encore l'avoué de Mme Lebaudy qui dut lui mettre les points sur les i. Le yacht *Sémiramis*, retardé par des questions de quarantaine, ne lèverait pas l'ancre avant le 30 octobre 1892 : « Vous devez donc vous rendre à Pauillac, le mardi 30 octobre, pour le rejoindre. » Après un nouvel échange de correspondance entre Max et l'avoué de sa mère, l'appareillage du *Sémiramis* fut encore repoussé de quelques jours. Pourtant, dès le 17 octobre, sans attendre la suite des événements, Amicie, cédant à un nouvel accès de colère, revenait à la charge et déposait une plainte au procureur de la République près le tribunal de la Seine pour faire déclarer son fils en état de « constante prodigalité » et lui adjoindre un conseil judiciaire qui l'empêcherait de dilapider son argent. Dans son acharnement à combattre les « mauvais penchants » de Max, elle avait l'impression non point de prémunir un enfant irresponsable contre les faiblesses de sa nature, mais de déjouer l'affreuse machination de Jules Lebaudy, qui continuait à faire le mal par-delà le tombeau. Quant à Max, épouvanté par la froide cruauté d'une mère qui n'hésitait pas à le traîner en justice, il confia son désespoir à quelques amis et, sur leur recommandation, choisit comme avocat un des as du barreau, connu également pour être un politicien habile, Me Waldeck-Rousseau. Moins bien inspirée, Amicie se contenta d'un spécialiste de la chicane, Me Barboux.

Le combat était inégal. Dès que Waldeck-Rousseau prit la parole, le prétoire se transforma en théâtre. La voix superbe, le regard inspiré, les larges effets de manches du défenseur de « l'orphelin » répondant aux attaques de « la veuve » captivèrent immédiatement l'auditoire. Waldeck-Rousseau ne plaidait pas la cause d'un client, il déroulait avec fougue un roman balzacien. Analysant le conflit entre mère et fils en psychologue et en écrivain plus qu'en juriste, il évoquait l'atmosphère étouffante de l'hôtel particulier de l'avenue Vélasquez, soumis à la hantise de l'argent pour l'argent, de la réussite pour la réussite. Il peignait avec des accents vengeurs le caractère outrancier de Mme Lebaudy, son aversion morbide pour la richesse et même pour tous les plaisirs matériels, sa haine croissante d'un mari qu'elle ne pouvait plus admirer, son besoin maniaque de dominer ses proches au nom de la morale et de la religion. Afin d'expliquer cette misanthropie à visage chrétien, Waldeck-Rousseau cita un ouvrage récemment publié par Mme Lebaudy, où elle vantait les vertus de mère Angélique Arnauld, janséniste avant l'heure, au XVIIe siècle, dont l'expérience édifiante l'avait fascinée dans sa jeunesse. Puis, ayant conquis le public par ses révélations, il démontra aisément que, certes, le jeune Max Lebaudy avait dépensé beaucoup d'argent à la légère, mais que, ce faisant, il n'avait guère entamé le solide patrimoine hérité de son père et que les revenus de ce capital eussent suffi à éponger ses dettes si sa mère n'avait cru bon de lui en interdire la libre disposition. Ce qu'il souligna à l'audience, ce fut l'absence de chaleur humaine, d'instinct maternel, d'élémentaire compréhension chez Amicie. A l'entendre, elle n'aimait personne et rendait l'univers entier responsable de ses désillusions conjugales. En invoquant, pour se justifier, sa répugnance envers l'argent, elle oubliait qu'elle-même et ses enfants avaient largement profité des avantages pécuniaires de la situation du vivant de Jules Lebaudy. Prenant le tribunal à témoin de ces singulières relations de famille, Waldeck-Rousseau enchaînait victorieusement : « Voici, messieurs : je vous demande d'être juges entre la mère qui a voulu expatrier son fils et le fils qui a refusé de subir cet incroyable arrêt. » Accusant Mme Lebaudy de noircir à l'excès les orgies niçoises de Max, il s'écriait encore : « C'est le rêve d'une imagination malade : Mme Lebaudy ne pense point qu'on puisse résister à ses volontés sans être perdus de débauche [...]. Tout cela est trop odieux et le moment est venu de dire ce qu'est M. Max Lebaudy et ce qu'est sa vie [...]. Il aime le plaisir comme l'aiment tous les jeunes gens et il n'y a point ici, je pense, de censeur assez morose pour en conclure que l'intervention des magistrats soit indiquée. Il [Max] n'a pas de maîtresse en vue et en titre [...]. Bref, il est un jeune homme qui mène une existence conforme à son rang, conforme à son goût et à son âge. »

De cette comparaison entre la mère et le

fils, savamment présentée par Waldeck-Rousseau, il ressortait que les torts étaient à l'évidence du côté d'une mère abusive et les droits du côté d'un fils sensible, vulnérable et respectueux. Ce parallèle était si accablant pour Mme Lebaudy qu'Edmond de Fels, venu au palais assister au procès, ne put supporter l'outrage fait ainsi, en sa présence, à sa belle-mère. A la fin de la plaidoirie de Waldeck-Rousseau, il jeta son gant aux pieds de l'avocat, geste qui équivalait à un cartel. Des témoins furent constitués en secret. Le duel eut lieu à quelques jours de là, à l'épée, avec toute la discrétion désirable, et les adversaires l'arrêtèrent, d'un commun accord, après les premières passes d'armes et sans qu'il y ait eu effusion de sang. Mais l'honneur était sauf.

Sans doute soucieuse, avant tout, de limiter les échos de ce procès dans le monde, Amicie fut-elle agacée par la publicité que lui donnait son gendre en jouant les redresseurs de torts. En revanche, le reste de la famille et les amis proches tressèrent des couronnes au nouveau paladin. Dès le lendemain du duel, Jeanne de Fels reçut de toutes parts des lettres vantant la noblesse et le courage chevaleresque de son mari. « Il a montré en même temps qu'il possédait toutes les délicatesses du cœur en vous cachant l'heure de la rencontre, voulant vous éviter les angoisses les plus fortes et vous ménager la surprise de le voir en bonne santé et sauf après avoir infligé à son adversaire une leçon méritée, lui écrivait son beau-frère Henri [1]. Nous pouvons aujourd'hui constater que nous avions bien placé notre confiance et qu'elle a même été au-delà de ce que nous pouvions oser espérer. Que gloire soit rendue à Dieu ! J'espère bien qu'Edmond ne poursuivra pas d'autres projets de vengeance et je termine en vous embrassant de tout cœur. » Pour être à l'unisson, une des belles-sœurs de Jeanne, Marguerite de Fels, se réjouissait que son frère Edmond eût si bien défendu l'honneur de la famille et précisait : « Ce qu'il y a de plus louable dans cette affaire, c'est qu'elle venge l'intérêt général autant que le vôtre [...]. Edmond a su être le héros du jour et je me figure la quantité énorme de visites, de

1. Le mari de Juliette, sœur d'Edmond de Fels. La lettre, inédite, est datée du 16 février 1884 (archives privées).

lettres, de télégrammes auxquels vous avez dû répondre. » Pour finir, Marguerite assurait Jeanne d'une « vive sympathie, reposant sur de sérieuses affinités ». De son côté, M. Royer-Collard mandait à la jeune comtesse de Fels : « J'étais indigné contre Waldeck-Rousseau. J'aurais voulu qu'il ne trouvât pas un témoin pour l'aider dans la situation odieuse où il s'était mis. J'attendais avec anxiété l'issue du duel. » Il n'est pas jusqu'à l'évêque de Chartres qui, étant souffrant, ne priât son coadjuteur d'exprimer à la comtesse de Fels sa réprobation devant « l'odieuse affaire Waldeck-Rousseau » et son souhait que « l'incident du palais de justice[1] » n'eût pas d'autre suite.

Les remous causés par l'outrecuidance de Waldeck-Rousseau s'apaisèrent enfin. Le procès reprit son cours, lent et tumultueux. Au terme des débats, la cour rendit un arrêt stipulant qu'il était « impossible de taxer le jeune Max Lebaudy de prodigalités dans le sens de la loi et de lui donner, quant à présent du moins, un conseil judiciaire ». « Pour

1. Lettres inédites (archives privées).

ces motifs, la demande en dation de conseil judiciaire de la dame Lebaudy» était rejetée.

Amicie accueillit la décision de la cour avec autant de fureur rentrée que si l'on eût profané devant elle la tombe d'un être cher. «Il n'y a plus de bons juges depuis qu'on a supprimé l'inamovibilité, grondait-elle. Ils n'ont aucune indépendance! Ils sont tous achetés!» Quant à Waldeck-Rousseau, ce démocrate éhonté et bavard, elle le comparait à l'ignoble pourvoyeur de la guillotine, Fouquier-Tinville. Le courroux fulminant d'Amicie était entretenu par les nombreux commentaires de la presse qui évoquaient à l'envi «la fortune colossale de celui qui fut un moderne Crésus» et l'étrange comportement d'une veuve richissime envers son enfant qu'elle avait écrasé de principes et sevré de tendresse. Le triomphe d'un blanc-bec irresponsable de dix-neuf ans sur sa mère qui cherchait à lui éviter les pièges de la facilité acheva de convaincre Amicie que tout en France était à jeter aux ordures et que, à côté de la Ligue des patriotes, Deroulède aurait dû fonder une «Ligue des parents», les premiers étant aussi mal vus que les seconds dans une République à la dérive.

Les tracasseries juridiques une fois terminées, Max ne chercha pas à reprendre contact avec sa mère pour une éventuelle réconciliation. Il savait que, du côté de Saint-Cloud, toutes ses tentatives se heurteraient à un refus glacial. Cependant, il eut le bon goût de ne pas manifester sa joie d'avoir gagné la partie. Au vrai, il était à la fois satisfait et confus du résultat d'un procès qu'il eût voulu éviter. Pour s'étourdir après des mois de chamailleries familiales, il se rejeta, à corps perdu, dans les plaisirs de Paris. Ressaisi par sa passion des chevaux, il s'improvisa jockey et monta à Auteuil dans des prix réservés aux gentlemen. On le revit également aux soirées du Maxim's, aux premières théâtrales, dans les salons et dans les cabarets à la mode. Il eut de brèves aventures sentimentales avec des comédiennes, dont la sémillante Mlle Marsy qu'il songea, dit-on, à épouser. On prétendit même que, séduit par les courses de taureaux auxquelles il avait pu assister, il avait entrepris des démarches pour organiser des corridas à Paris, avec à l'affiche les matadors les plus renommés d'Espagne. Son frère Robert lui donnait d'ailleurs l'exemple de la dissipation. Le 14 août 1894, cet insoucieux écrivait à son beau-frère Edmond : « J'ai loué un grand yacht de 350 tonneaux au cours de la semaine dernière [...]. Nous menons ici une vie endiablée : fêtes à bord, les plus jolies femmes de Dinard, tsiganes, courses, le feu tous les jours [...]. Demain, grand dîner à la campagne, avec quatre jeunes ménages. Après-demain, nous partons, dix ou douze (dont plusieurs jeunes femmes), sur le yacht, pour Jersey. » Et, le 24 août, au même correspondant : « Je repars à minuit trente pour Trouville où de nombreux invités nous attendent. » Trois jours plus tard, il insistait encore sur la qualité de ces fêtes nautiques, « où il y a beaucoup de monde et les plus jolies femmes ». Sa sœur Jeanne avait droit, elle aussi, à des confidences exaltées sur les performances sportives et galantes de l'enragé célibataire. Mais, à présent, il se détournait de son yacht pour s'intéresser à ses chevaux. Un des meilleurs éléments de son écurie venait de gagner « un bon steeple à Vienne ». Le 5 décembre 1894, il annonçait à Jeanne qu'il avait fait l'acquisition d'une propriété en Normandie et qu'il s'occupait d'y installer son haras : « Je continue à chasser beaucoup à courre de tous côtés, à Fontainebleau, à Chantilly, Compiègne.

Compiègne surtout était très gai tous ces jours-ci et je m'y suis beaucoup amusé, à tel point que je ne suis pas éloigné de l'idée d'y louer une maison. Je vais acheter des poulinières la semaine prochaine, à la vente de la duchesse de Montrose. J'ai deux très bons chevaux de chasse. As-tu vu, dans les journaux de sport, que je me trouve, par mes gains, cinquième propriétaire en Angleterre ? Mes meilleurs souvenirs à Edmond. »

Les fredaines des trois fils Lebaudy, millionnaires extravagants et désœuvrés, attisaient la verve des chroniqueurs du *Gaulois* et du *Figaro*. Mais, alors que Robert était de plus en plus excité par les régates, les aventures amoureuses et les compétitions hippiques, Max se découvrait peu à peu écœuré par une existence trop facile, où l'artifice tenait lieu de sentiment et où l'impunité excluait les tourments de conscience. Malgré l'insistance de ses amis, il refusa d'échapper au service militaire en se faisant réformer, comme ils le lui conseillaient. Alors qu'ils avaient déjà obtenu pour lui un sursis d'appel, il prit la décision de s'engager, séance tenante, dans l'armée. Plantant là sa petite cour de pique-assiette et de courtisanes, il partit pour la garnison des Pyrénées-Orientales qui lui avait été désignée par le bureau de recrutement. Incorporé au 9e escadron du train des équipages, puis au 2e dragons, le deuxième classe Lebaudy, que ses compagnons d'armes goguenards appelaient déjà, eux aussi, « le Petit Sucrier », contracta bientôt la phtisie. Sachant par expérience qu'il ne devait espérer aucun secours de tendresse, ni même de compréhension chez sa mère, ce fut à son beau-frère Edmond de Fels qu'il adressa, de l'infirmerie, des lettres déchirantes : « Ce matin, lui écrivait-il, le major m'a dit qu'il avait trouvé des bacilles de tuberculose dans l'analyse qu'il avait faite. D'un autre côté, on m'a dit qu'on allait m'envoyer à l'île Sainte-Marguerite, dont le climat est bon, mais la vie impossible. Vous comprenez ma situation : je suis reconnu bon pour la réforme et l'on veut me garder tout de même dans l'armée. Je vous demande un service dont vous voyez l'importance [...]. Ma situation est désespérée. Une influence inexplicable s'attache contre moi et me fait mettre hors la loi. [...] Vous êtes le seul de cette famille à qui je puisse m'adresser, [un mot de vous] aurait plus de chance de réussite que de la part d'un étranger... Vous pouvez peut-être me tirer de ce mauvais pas. »

Peu après, Edmond de Fels étant intervenu, mais en vain, auprès du médecin-chef, Max lui écrivait encore : « J'apprends à l'instant que vous avez été convoqué, hier, chez le médecin-chef, chose qui me surprend, car je croyais que vous y alliez de votre propre gré. Je vous en supplie, s'il vous dit quelque chose d'intéressant, faites-le-moi savoir, car je suis trop ennuyé pour n'être pas tenu au courant de ce qui se passe. Je ne doute pas qu'avec votre appui les choses n'aillent mieux. » Alors que tous les membres de la famille, à commencer par sa mère, le traitaient en pestiféré, il se souciait du sort de son frère Jacques, dont on lui avait signalé les dernières foucades : « On me dit que Jacques est interné. Qu'y a-t-il de vrai [là-dedans] ? Je suppose qu'on m'aurait averti un des premiers, mais tout se passe dans notre famille d'une façon si bizarre que je ne m'étonne pas de n'avoir pas été averti. » Et de fait, dès cette époque, l'équilibre mental de Jacques donnait des inquiétudes à ses proches. Mais on mettait ces excentricités sur le compte d'un caractère « contrariant ». Or, tandis que l'aîné des fils Lebaudy faisait des siennes à Paris, l'état de santé du plus jeune se détériorait de jour en jour, au point que le médecin-chef ordonnait son transfert à l'hôpital d'Amélie-les-Bains. Protestation de Max auprès de son beau-frère : « C'est une mesure bien injuste et bien dangereuse pour moi, puisque je me trouverai avec tous les malades arrivant de Madagascar et ayant toutes sortes de fièvres [...]. Je vous en prie, si vous voyez M. Deschanel [1] (vous devez le connaître, si je ne me trompe), faites une chose, demandez-lui de me voir, ou j'irai le voir, car je peux sortir, quelques mois avant mon départ [pour Amélie-les-Bains]. S'il a de l'influence sur le ministre comme on le dit, il pourra obtenir qu'on rapporte une mesure notoirement illégale et à laquelle je ne pourrai jamais résister [2]. »

Mais le mal dont souffrait Max Lebaudy faisait de tels progrès qu'aucun remède ni aucune démarche ne pouvait plus en retarder

1. Paul Deschanel, député de l'Eure-et-Loir, puis président de la Chambre. Élu plus tard à la présidence de la République, il démissionnera, quelques mois après sa prise de pouvoir, pour raison de santé.

2. Lettres inédites (archives privées).

l'issue. Transporté à l'hôpital d'Amélie-les-Bains, il ne voyait à son chevet nul visage amical et se mourait autant de solitude que de consomption.

Ce fut le jour de Noël 1895 qu'Amicie reçut la nouvelle du décès de son fils cadet. Elle ne s'y attendait pas, mais fut à peine surprise. La punition que les juges avaient refusée au malheureux enfant, le Ciel venait de la lui administrer, peut-être pour le sauver d'une vie de débauche. Sans l'ombre d'un remords, mais avec une pieuse tristesse, elle partit pour Céret. Ses deux autres fils, sa fille et son gendre la rejoignirent à l'hôpital proche du chef-lieu. Tous affectaient un air consterné, mais leurs yeux demeuraient secs et leur silence était réprobateur. Le corps avait déjà été mis en bière et descendu à la morgue de l'établissement. Un moment réunie autour du cercueil fermé, la famille s'éloigna de quelques pas pour discuter, à voix basse, de la rédaction du faire-part et du nombre d'exemplaires réservé à chacun. Ce fut la seule oraison funèbre de ce très jeune homme, victime de sa fortune et qui n'avait eu ni le temps d'aimer ni la chance d'être aimé. Lors de cette courte entrevue, Amicie déclara fièrement qu'elle refuserait de toucher sa part légale d'héritage, car elle ne voulait rien devoir à un fils dont elle avait toujours déploré la conduite. Cette renonciation de dernière minute lui gagna, comme de juste, les remerciements de ses trois autres enfants et de son gendre.

Le 29 décembre, la famille, accompagnant le cercueil plombé, prit le train pour la capitale. Le 30 décembre, à Paris, sur le quai de la gare d'Orléans, de rares amis intimes de Max virent descendre d'un sleeping-car Amicie Lebaudy, ses fils Jacques et Robert, sa fille et son gendre, comte et comtesse de Fels. Aux personnes qui s'étaient dérangées pour assister à l'arrivée de la dépouille mortelle, des domestiques annoncèrent que, par ordre de Mme Lebaudy, le corps passerait la nuit dans un wagon scellé et ne serait transporté que le lendemain matin au Père-Lachaise. Par cette fausse indication, Amicie espérait se débarrasser des importuns. La plupart des « étrangers » s'en allèrent. Cependant, quelques journalistes têtus ne se laissèrent pas abuser et, étant restés sur place, purent relater dans leurs gazettes respectives la façon dont, à l'insu du public, le commissaire spécial de la gare avait fait déplomber le cercueil. En un clin d'œil, la longue caisse de bois verni fut escamotée, chargée à la sauvette dans un fourgon et acheminée, au petit trot, vers le cimetière. Amicie Lebaudy, Jacques et Robert suivaient dans un coupé. Un autre coupé emportait vers la même destination le couple de Fels. A huit heures du soir, les grilles du Père-Lachaise furent ouvertes sur permission exceptionnelle de la préfecture de la Seine. Elles se refermèrent aussitôt après le passage du convoi réduit au strict minimum. La consigne donnée par Amicie était de ne laisser entrer que la famille. Toujours ce besoin de dissimulation et de sauvagerie à l'égard de tout ce qui n'était pas le clan ! Toutefois, elle autorisa la présence, devant la tombe, de Mlle Marsy, la dernière maîtresse de Max. Elle devait bien cette ultime tolérance à celle qui avait été sa compagne. Des lanternes tenues à bout de bras éclairaient vaguement le paysage immobile des croix et des dalles funéraires. Personne ne parlait. Mlle Marsy était enveloppée dans une telle épaisseur de crêpes qu'elle semblait incarner à elle seule le chagrin de la famille, alors qu'elle n'y était qu'une intruse. L'envoyé spécial du *Gil Blas*, qui avait réussi — par quel subterfuge ? — à se faufiler dans le cimetière, écrivit : « Pauvre Petit Sucrier, lui qui avait fait tant de bruit dans le monde, bien solitaires et bien lugubres ont été ses obsèques. » Au lendemain de l'enterrement, une messe de Requiem fut célébrée à Saint-Philippe-du-Roule.

En retrouvant, après la cérémonie, la solitude de son appartement de Saint-Cloud, Amicie, qui avait rapporté de l'hôpital militaire quelques pièces de l'uniforme de Max, résolut de reconsidérer ses griefs à l'encontre du défunt et d'honorer sa mémoire en accrochant son képi réglementaire, rouge et noir, au-dessus de la cheminée du salon. Peu après, elle voulut aller plus loin. Comme elle avait toujours eu la plume facile et qu'elle avait déjà publié un livre, *Mère Angélique, Abbesse de Port-Royal*, elle décida de faire éditer un nouvel ouvrage de son cru. Ce serait un conte de Noël, puisque c'était précisément le jour de Noël qu'elle avait appris la mort de son fils. Cette fable, dont le sens occulte serait connu d'elle seule, elle ne la signa ni Amicie Lebaudy, ni Amicie Piou, ni Amicie Ledalle ou Ledall, mais, choisissant un pseudonyme calqué sur la dernière des appellations dont elle s'était affublée naguère, elle changea de sexe et se baptisa : Guillaume Dall. Le récit, destiné aux enfants, relatait l'histoire d'un « petit-fils de reine », nommé Max, qui était tombé malade et expirait le jour même de la naissance du Christ. Compatissant, le père Noël emportait dans ses bras cette jeune âme au royaume des bienheureux. « Montons ensemble, lui disait-il. Viens ! Mais chaque nuit de Noël tu redescendras avec moi sur terre et, à l'aube où, innocent, tu courais autrefois vers la cheminée chercher ton soulier, tu iras, petit Max — non plus prince ! —, poser sur le front de ta mère — qui n'est plus reine ! — un baiser si long, si tendre qu'il durera de Noël à Noël. »

Peut-être Amicie, dont l'émotion jouait souvent à retardement, se demanda-t-elle, en traçant la première ligne de ce conte, si important à ses yeux, si banal aux yeux des autres, pourquoi elle avait attendu la mort de son fils pour lui dire, à sa façon, qu'elle regrettait d'avoir gâché, par ses exigences, ses exclusives, ses excommunications, l'entente simple et profonde qu'ils souhaitaient tous deux sans le savoir ?

IV

La mort du jeune Max avait touché Amicie Lebaudy d'autant plus profondément que d'autres deuils avaient entamé depuis peu sa résistance au chagrin. Après avoir perdu, en 1893, son père, l'ancien président de cour d'appel et sénateur impérial, François Piou, qu'elle vénérait pour sa droiture, elle avait vu disparaître, l'année suivante, le fidèle Maxime Du Camp et avait dû se contenter, comme principal confident, de son cousin Ferdinand Barrot, un charmant dilettante que sa nature artiste rendait indifférent aux luttes parlementaires. Or, plus Amicie avançait en âge et plus elle se passionnait pour le combat politique. Le souvenir de son père défunt, qui n'avait jamais varié dans sa dévotion à l'Ancien Régime, lui revenait par bouffées et excitait son agressivité contre les démolisseurs actuels de la France.

Au début de la sinistre affaire de Panama, elle avait espéré que la Troisième République ne survivrait pas à tant de scandales. Mais pas plus que le krach de l'Union générale, si habilement exploité jadis par Jules Lebaudy, le désastre du canal n'avait suffi à démasquer les vrais coupables, trop proches du pouvoir pour être inquiétés. Radicaux et socialistes n'avaient d'autre but, selon Amicie, que d'abaisser le sens moral de leurs concitoyens et de les asservir à une idéologie collectiviste. Sa haine de la démocratie était de nature quasi religieuse et comparable, d'après ses détracteurs, à celle des croisés du Moyen Âge face à l'Islam. Au vrai, elle se désolait d'appartenir à un peuple prétendument civilisé mais incapable de distinguer le bien du mal. Même l'assassinat du président Carnot et la mort du comte de Paris avaient été digérés par les foules sans les agiter outre mesure. Pourtant, alors qu'elle croyait sa patrie définitivement avachie, un brusque espoir l'avait revisitée à la lecture des premières révélations sur cet obscur capitaine Dreyfus qui avait, disait-on, livré à l'Allemagne des secrets de la Défense nationale. En digne fille de magistrat, elle s'était enflammée de vindicte contre le traître galonné, qui, de surcroît, était d'origine juive. Chaque tentative pour excuser le félon, chaque doute attisait sa fureur. Ce fut avec une cruelle allégresse qu'elle apprit, le 22 décembre 1894, la condamnation du misérable à la déportation à perpétuité et à la dégradation militaire. Hélas ! ce sursaut de probité se perdit rapidement dans les combinaisons de la routine républicaine, qui consistait à tout permettre et à se contenter de n'importe quoi, pour peu que les plus stupides innovations fussent présentées comme des nécessités de justice sociale.

Cette critique persistante du régime en place n'empêchait pas Amicie de mener, dans son coin, une vie paisible, à l'abri des soucis matériels grâce aux revenus qu'elle touchait régulièrement sur sa part dans les bénéfices de la raffinerie Lebaudy. Elle avait échangé récemment son très modeste logis de Saint-Cloud contre un appartement parisien plus clair et plus vaste, situé rue de Londres. A la fois confuse et ravie de cette amélioration, elle tentait d'excuser son déménagement en disant, par plaisanterie, que son nouveau domicile était « le siège de la succession Lebaudy ». Maintenant, elle s'accordait plus de loisirs que jadis. Il lui arrivait souvent de faire un bref voyage sur la côte normande pour respirer l'air pur de la mer. Mais, malgré la proximité des stations balnéaires de Houlgate, de Cabourg, de Trouville, elle ne se montrait jamais dans les endroits à la mode et s'obstinait, à quarante-sept ans et en villégiature, à porter des vêtements de rebut, par défi aux trop nombreuses élégantes de la région.

Du reste, elle était si étroitement enfermée dans son quant-à-soi que même les nouvelles de sa famille la laissaient indifférente. Lorsque sa fille Jeanne lui annonça, par télégramme, qu'elle venait d'avoir un second enfant, une petite Anne-Marie, elle n'en conçut aucune satisfaction et continua de déclarer à tous les échos qu'elle n'avait pas de fille et pas de gendre, et que du reste celui-ci ne méritait ni son titre de comte, ni l'amour de sa femme, ni la considération de son entourage. Incapable de dominer le mépris que lui inspirait la réussite mondaine du couple, elle ne manquait pas une occasion de critiquer Jeanne sur son train de maison et ses fréquentations snobinardes. Mis au courant de ce dénigrement systématique, le père d'Edmond de Fels écrivait à son fils pour déplorer l'acharnement d'Amicie, alias Mme Ledall, à perturber ainsi le bonheur du jeune ménage : « J'ai été vivement peiné de l'état d'esprit de notre bonne Jeanne provoqué et entretenu par la méchanceté persistante et contre nature de Mme Ledall, qui vient toujours empoisonner son bonheur d'épouse et de mère. Dis-lui que je suis désolé pour elle et que je la plains de tout mon cœur [1]. » Mais, dans les grandes familles, aussi bien bourgeoises qu'aristocratiques, les usages anciens sont plus forts que l'humeur du moment. Malgré la rancœur de Jeanne à l'égard de sa mère, elle s'imposait de lui envoyer régulièrement au Jour de l'an et pour sa fête patronymique un billet d'affectueuse courtoisie. Toutefois, refusant de l'appeler Amicie comme tout le monde, elle choisissait, dans la liste des prénoms de l'intéressée, le plus charmant à son avis, et la félicitait

1. Lettre inédite du 12 avril 1893 (archives privées).

chaque année pour la Sainte-Marguerite. Cette bonne pensée lui valait une réponse aussi correcte et aussi incolore que les vœux dont on lui accusait réception : « Ma chère Jeanne, je vous remercie de vos aimables souhaits pour la Sainte-Marguerite, ils me font toujours grand plaisir. » Plus loin, quelques mots ironiques pour commenter la mort de Leconte de Lisle, dont les derniers vers l'avaient choquée par leur brutalité : « Il est donc allé réciter les *Poèmes barbares* aux pieds de l'Éternel. » Et une conclusion stéréotypée : « Ma chère Jeanne, j'espère que votre séjour se passe agréablement pour vous et votre mari. Je vous envoie mille amitiés. — A. Ledall [1]. »

Résolument hostile au mode de vie du ménage de Fels, Amicie n'était guère plus proche de ses deux grands fils, Jacques et Robert. D'ailleurs, elle n'avait même pas la curiosité de les suivre dans leurs expériences sportives, galantes et financières. Tout au plus savait-elle, par ouï-dire, que l'aîné, Jacques, vivait en concubinage avec une

1. Lettre inédite du 21 juillet 1894 (archives privées).

femme peu recommandable, qu'il jouait toujours avec succès à la Bourse et qu'il était possédé, comme son père, par la hantise de l'argent et de la réussite. Robert, lui, qui ne manquait pas d'intelligence pratique, aurait fait, d'après Amicie, un excellent officier de cavalerie s'il ne s'était passionné, avec ses cousins Paul et Pierre Lebaudy, fils de Gustave, pour la construction aventureuse des premiers aérostats. Tous trois, bien que sains d'esprit en apparence, rêvaient à la conquête du ciel par ces maladroites baudruches gonflées de vent. C'eût été là une innocente folie si elle n'avait coûté fort cher à ses promoteurs. Certes, chacun sur terre était libre de claquer son argent comme il l'entendait, mais Amicie jugeait que l'attitude irresponsable de Robert était, elle aussi, le symbole des méfaits de la civilisation matérialiste où ils étaient tous condamnés à vivre depuis la chute de la royauté.

Chaque fois que le souvenir des fastes monarchiques affleurait sa mémoire, elle en était émue aux larmes. Mais que faire, se demandait-elle, pour réveiller la conscience de la multitude en ce siècle iconoclaste ? Même le brusque enthousiasme de ses compatriotes lors de la visite à Paris, en 1896, du nouveau tsar Nicolas II et de son épouse ne l'avait pas convaincue que l'heure de la revanche approchait et que bientôt la France comprendrait à son tour l'avantage d'avoir à sa tête un souverain héréditaire. L'accueil de l'empereur par le président Félix Faure à la gare improvisée du Ranelagh, le défilé du cortège officiel à travers une capitale pavoisée aux couleurs de la Russie et de la France, les vivats déferlant au passage du tsar, la pose par lui de la première pierre du pont Alexandre-III, les discours, les accolades, les hymnes, toute cette agitation patriotique troublait Amicie parce qu'elle témoignait de la nostalgie des petites gens envers ce qui leur rappelait l'Ancien Régime, mais elle devinait, derrière cette manifestation de sympathie, l'espoir que l'entente franco-russe servirait avant tout à affaiblir la position de l'Allemagne et justifierait la politique d'un gouvernement qu'elle détestait.

Or, voici qu'en 1898 l'affaire d'espionnage, qu'on croyait close depuis la condamnation du coupable, rebondissait et que le « pornographe » Zola, épaulé par Clemenceau, osait publier, sous le titre *J'accuse*, une lettre ouverte au président de la République pour dénoncer « la plus grande erreur judiciaire de tous les temps ». Par bonheur, les tentatives de réhabilitation de Dreyfus échouaient l'une après l'autre. Mais les passions s'étaient tellement exacerbées que, après le procès intenté à Zola pour outrage à la magistrature, des manifestations éclataient à la Chambre des députés où les élus échangeaient des injures et des coups de poing. Ce qu'Amicie retenait de ce remue-ménage, c'est qu'il éclairait d'un jour aveuglant l'abaissement de la France républicaine. Le général Boulanger ayant disparu de la scène, les véritables champions de l'honneur français étaient désormais, à ses yeux, Paul Déroulède, qui n'hésitait pas à se battre en duel avec des dreyfusards enragés, et le duc d'Orléans, qui signait courageusement un manifeste contre la révision du procès Dreyfus.

Comme il fallait s'y attendre, Paul Déroulède fut attaqué en justice par les prétendus défenseurs de l'ordre. On lui reprochait d'avoir reconstitué l'ancienne Ligue des patriotes afin de mieux s'opposer à la Ligue des droits de l'homme et du citoyen, d'inspiration socialiste et dreyfusarde. Sur ces entrefaites, la mort subite du président Félix Faure, au cours, disait-on, d'une aventure galante à l'Élysée, provoqua une telle émotion dans la rue que les mécontents de tous bords se mobilisèrent dans l'attente de l'élection du nouveau chef de l'État. Le vote du congrès de Versailles ayant désigné, pour occuper la première magistrature du pays, le très prudent Émile Loubet désola Amicie. Il n'avait rien d'un homme à poigne. De toute évidence, il se contenterait de demi-mesures, alors que la France avait besoin d'un traitement de choc. D'emblée, les ligues « anti-révisionnaires » représentèrent Félix Faure comme l'élu des « panamistes », des « dreyfusards » et des « athées ». Dans ce concert de vociférations, Amicie joignait sa voix à celles des plus féroces détracteurs du président.

L'ampleur de cette agitation partisane incita Paul Déroulède à un coup de force. Le 23 février 1899, jour des obsèques de Félix Faure, il tenta d'entraîner les troupes, commandées par le général Roget, à l'assaut du palais de l'Élysée. Mais le général, déjouant la manœuvre, n'eut pas de mal à reprendre ses hommes en main et à faire arrêter par eux le perturbateur qui les avait exhortés à la désobéissance. Pendant qu'on déférait Paul Déroulède devant la Haute Cour, dix-sept partisans de la Ligue des patriotes se barricadaient dans un hôtel de la rue Chabrol, immédiatement baptisé « Fort Chabrol » par la rumeur publique, et y soutenaient un siège en règle contre les forces de l'ordre. Tout au long des quarante jours que dura le face à face de la troupe et des héroïques amis de la Ligue, Amicie, cloîtrée dans son appartement douillet de la rue de Londres, regretta de n'être pas à leurs côtés pour narguer l'infâme Waldeck-Rousseau et ses sbires. Elle jugeait hautement symptomatique que le même homme qui l'avait déshonorée dans l'enceinte d'un tribunal fût en train de déshonorer la France à la tête du gouvernement. Cette coïncidence était prémonitoire. Se pouvait-il que nul, hormis elle, ne s'en avisât dans le pays ? Après la reddition du « fort » et la condamnation de Déroulède à deux ans de prison, puis au bannissement, elle s'attrista de la faculté d'oubli des Français. Déjà Paris s'ébrouait, se préparait aux réjouissances de la prochaine Exposition universelle, les membres du Conseil multipliaient leurs appels à la « solidarité humaine », les gogos s'émerveillaient des miracles de l'électricité dont bénéficiaient quelques demeures privilégiées et le métropolitain accueillait ses premiers voyageurs pour de grondants parcours souterrains.

Cet optimisme de commande n'empêchait pas le travail néfaste des ennemis de la tradition, de la religion et de la dignité. Depuis la condamnation de Paul Deroulède, celle d'André Buffet, chef du parti royaliste, et celle de Lure de Saluce, son adjoint, il était clair que le pouvoir cherchait à anesthésier le pays sous les flonflons et le clinquant des fêtes républicaines. Le moment semblait venu de réagir, non plus par un coup d'éclat, mais subrepticement, légalement, dans le cadre des lois en vigueur. Il y avait quelque temps déjà qu'Amicie soutenait financièrement la nouvelle Ligue des patriotes, animée par Gabriel Syveton. Par l'entremise de cet ancien universitaire, dont l'ambition se doublait d'un nationalisme fanatique, elle avait fait parvenir plusieurs millions de francs, prélevés sur ses revenus, dans les caisses de la Ligue, qui n'était que tolérée par la police. Si quelque magistrat fureteur s'avisait d'ordonner une enquête sur les agissements de

Mme veuve Jules Lebaudy, elle risquait fort d'être compromise pour encouragement pécuniaire à des entreprises factieuses et de comparaître, à ce titre, devant la Haute Cour, aux côtés des proches de Déroulède. En vérité, au degré d'exaspération où elle était arrivée, une telle menace ne l'effrayait pas. Elle eût même considéré comme un honneur d'être associée à un responsable de la Ligue des patriotes et d'être jugée, en même temps que lui, par les valets de Waldeck-Rousseau. Mais ses craintes se révélèrent vaines. Son nom ne fut jamais prononcé lors des audiences successives et les poursuites contre la Ligue s'enlisèrent dans la paperasse. Bien mieux, l'affaire Dreyfus rebondit soudain vers une conclusion inattendue. Après qu'un nouveau conseil de guerre, désigné pour la révision de la condamnation du capitaine espion, eut reconnu, au grand dam des dreyfusards, le bien-fondé du premier verdict, les gens de gauche n'imaginèrent plus d'autre riposte qu'un regain de protestations verbales. Ils furent malheureusement soutenus dans leurs reproches par la presse étrangère, enchantée de vilipender la justice militaire de la France. Du coup, Waldeck-Rousseau fut pris de tremblote. Avait-il perdu confiance en la légitimité de sa cause pour cela seulement qu'on le critiquait à Saint-Pétersbourg, à Londres, à Vienne ou à Berlin ? Non content d'avoir obtenu qu'on bannît un grand Français comme Paul Déroulède, voici qu'il se disait prêt à insister auprès du président de la République pour que celui-ci amnistiât le traître Dreyfus. Cette palinodie révoltait Amicie plus encore que ne l'eût fait une franche attaque. Excessive en tout, elle avait autant besoin d'admirer que de détester. Pour elle, le pire défaut, chez l'homme comme chez la femme, c'était la tiédeur.

Le 31 décembre 1899, dernier jour du siècle, elle fut brusquement saisie du besoin de justifier, aux yeux de ses contemporains par trop sceptiques, son évolution de l'abondance matérielle à l'austérité, à la charité et au patriotisme moralisateur. Résolue à la franchise, elle dicta à un secrétaire une sorte de plaidoyer pro domo : « Depuis 1888, disait-elle, j'ai quitté M. Jules Lebaudy, son domicile et son nom, toute participation directe ou indirecte à sa fortune ; j'ai quitté Paris, cessé la vie mondaine ; j'ai vécu de ressources rigoureusement personnelles, ceci au vu et au su du public pendant sept ans, à telles enseignes qu'après enquête et contre-enquête on a exploité odieusement la simplicité de ma vie en rapport avec mes ressources pour me faire, en 1893, par la voie de la presse, une fabuleuse réputation d'avarice et me ridiculiser. Je n'ai annoncé à personne le décès de M. Jules Lebaudy, je n'ai point envoyé de billet de faire-part ; je n'en ai même pas envoyé à la mort de mon malheureux fils : j'ai refusé, par ministère d'huissier, de figurer dans ceux de la famille (*Le Gaulois*, septembre 1892). Je n'ai jamais ouvert la bouche sur la succession de M. Lebaudy, j'ai écarté sèchement les allusions qu'on a cherché à y faire ; mon genre de vie a continué après exactement ce qu'il était avant ; mon nom n'a jamais figuré sur aucune liste de souscription. Le public entier qui ne me connaissait que sur ma réputation d'avarice ignorait mon adresse et même la ville où j'habitais. Ne pouvant par conséquent s'appuyer sur les signes extérieurs de la fortune, il m'a comblée de demandes auxquelles j'ai opposé un silence absolu. Toutes les personnes qui pouvaient cependant constater [...] la vérité de mes assertions m'ont assaillie directement, et ensuite indirectement, en conseillant [à des quémandeurs] de s'adresser à moi, mais avec défense de les trahir [...]. J'ai été poursuivie de persécutions inlassables et en tous lieux : mon domicile envahi de force, le guet établi autour. Que serait-ce si on pouvait arriver librement à moi ? J'ai opposé la force de l'inertie [...]. Il y a cinq ans, mon existence étant rendue, par ces persécutions, matériellement et moralement intolérable, j'ai encore changé de lieu et changé de nom. »

Heureuse de s'être enfin déchargée de ses griefs contre une société stupide et ingrate, Amicie oubliait allégrement, dans sa lettre testamentaire, qu'elle avait bénéficié des revenus de « l'argent maudit » pendant toute la durée de sa vie. Elle concluait sa confession par une condamnation des espions mondains et des professionnels de la mendicité : « Ai-je le droit de taxer ces indiscrétions d'imbéciles de la part du public et d'inconvenantes de la part de personnes que je connais ? » Au bas du document, rédigé par un secrétaire, Amicie authentifia ses propos par une phrase de sa main : « Écrit sous ma dictée, pour être communiqué, le 31 décembre 1899. — Mme Jules Lebaudy[1]. »

En vérité, sa répugnance, quasi physique, à l'égard de l'opulence financière n'avait fait que croître avec les années. Quelqu'un de riche ne pouvait être, à son avis, quelqu'un d'estimable, et il aggravait son cas si, au lieu de se contenter de sa fortune, il prétendait l'arrondir. Seule la pauvreté charmait Amicie, au point de l'aveugler sur tous les défauts d'un indigent. L'extrême dénuement exerçait sur elle la même fascination que l'innocence sur un libertin. Elle disait que, pour aimer les gens, elle devait d'abord pouvoir les plaindre. Par malheur pour elle, ses deux fils n'étaient en aucune façon pitoyables. L'argent affluait vers eux des quatre coins de la France. Chaque fois qu'un Français sucrait son café, il versait sa petite obole dans les caisses de la maison Lebaudy. Si encore les descendants de Jules avaient profité de cette aubaine pour soutenir l'action d'une œuvre charitable ou d'un groupe politique méritant, à l'exemple de leur mère ! Mais ils dépensaient des millions en extravagances dont personne ne leur

1. Inédit (archives privées).

savait gré. Sans jamais chercher à les rencontrer, Amicie avait de leurs nouvelles par les échos ironiques des journaux et par les racontars de quelques relations communes. L'un et l'autre étaient fort connus dans les milieux de la finance et du sport de luxe. Amicie en était navrée comme mère et comme patriote. Et pourtant certains affirmaient que les frères Lebaudy affichaient volontiers leur attachement à l'extrême droite. Quand des visiteurs le lui certifiaient, avec des trémolos dans la voix, elle se disait, à part soi, que Jacques et Robert étaient peut-être réellement de son sang.

Mais ce n'était pas avec des paroles en l'air que se remportaient les luttes politiques. Les nationalistes ayant gagné de nombreux sièges lors des dernières élections municipales, Amicie se sentit appelée à transformer cette demi-victoire en triomphe national. Son ami Gabriel Syveton était devenu, depuis peu, trésorier de « La Patrie française », ligue fondée par deux écrivains célèbres, académiciens de surcroît, François Coppée et Jules Lemaitre. Avec un tel parrainage, on ne pouvait que marcher droit. Désormais, Syveton venait rendre visite à Amicie tous les quinze jours pour la tenir au courant des fluctuations de l'opinion dans la presse et parmi les parlementaires. Cette collaboration la confirma dans l'idée de son importance occulte. Elle aurait souhaité ne plus penser qu'à la politique, mais, au printemps 1900, elle fut douloureusement rappelée à la réalité par la mort de sa mère.

Ce deuil fut pour elle l'occasion de renouer avec son frère, Jacques Piou, qu'elle avait depuis longtemps perdu de vue. Ex-député monarchiste de la Haute-Garonne, il était demeuré foncièrement réactionnaire, mais avait fini par se rallier à la conception d'une République modérée. Tout en évoquant avec éloquence devant sa sœur le charme de leur lointain passé familial, il tenta de la persuader qu'on pouvait rester bon catholique et ami de l'ordre sans trahir les lois fondamentales de la démocratie. Il avait d'ailleurs créé, dès 1890, un parti amphibie, qui revendiquait l'appellation de « droite républicaine ». Amicie écoutait Jacques patiemment et souriait de sa candeur. Si elle refusait de le croire, par principe, elle n'en était pas moins sensible à l'honnêteté de son propos et évitait de le contredire avec trop de hargne. La preuve qu'en dépit des arguments de son frère elle avait raison dans sa méfiance systématique des gens de gauche lui fut donnée, l'année suivante, par une décision impie de Waldeck-Rousseau qui s'attaquait aux avantages dont, selon lui, jouissaient les congrégations religieuses et les « moines ligueurs » chargés de répandre leurs idées. A l'initiative du gouvernement, la loi scélérate, dite « du contrat d'association », fut promulguée, au mépris des protestations de la droite. L'indignation d'Amicie fut telle, à cette occasion, qu'elle se demanda si elle avait encore sa place dans un pays sans Dieu, sans juges et sans police. Son dépit l'incita même à aller voir en Allemagne si le régime de Guillaume II n'était pas plus sain que celui dont la France était affligée depuis l'instauration de la Troisième République.

La visite qu'elle fit à Berlin ne la convainquit qu'à moitié de la supériorité de l'ordre germanique sur le désordre français et elle retrouva son modeste logement de Paris avec un plaisir qui la surprit et l'amusa. Pourtant, elle ne tarda pas à sentir que ce décor familier était devenu trop étroit pour elle. Ses nombreuses activités exigeaient plus d'espace. Adepte des décisions rapides, elle déménagea sans crier gare pour s'installer rue d'Amsterdam, dans un appartement situé au premier étage. Elle y transporta ses meubles, ses bibelots et ses reliques de la rue de Londres. Le képi de Max occupa de nouveau une place d'honneur, au-dessus de la cheminée, dans le salon. Mais, malgré l'insistance de ses amis, Amicie refusa d'introduire dans son intérieur la lumière électrique et le téléphone, deux inventions sataniques évidemment répandues dans le monde par ceux qui, sous prétexte d'obéir au progrès, dénigraient les valeurs d'autrefois. Nageant à contre-courant, elle était plus que jamais disposée à défendre la cause des survivants de l'Ancien Régime. Afin de démontrer son attachement à ces champions de la morale et de la tradition, elle résolut de participer aux frais de leur campagne pour les élections législatives de 1902. De même qu'en 1871, dans la France vaincue, le devoir de tout bon citoyen avait été de donner son argent, sans rechigner, pour hâter le départ des Allemands, de même, trente ans plus tard, elle estimait qu'en ces jours de deuil elle était moralement tenue de subventionner ceux qui promettaient de débarrasser la patrie de ses « occupants » d'un nouveau genre : les socialistes. Nombre de candidats parisiens appartenant à l'extrême droite furent ainsi financés par elle, en coulisse. Le résultat du vote combla ses vœux. La réaction avait gagné pas mal de sièges à la Chambre. Gabriel Syveton, entre autres, avait retrouvé son fauteuil de député. Amicie constata également que son frère, Jacques Piou, était réélu sans problème. Mais devait-elle s'en féliciter ? Elle n'accordait toujours aucun crédit à cette « droite républicaine » dont il se targuait d'incarner les idées. Ce n'était pas en usant d'aimables compromis qu'on extirperait de ce pays le cancer démocratique. Il importait d'abord de chasser de l'Assemblée les démagogues de gauche qui parlaient au nom du peuple français sans en connaître vraiment les souffrances. Après, on y verrait plus clair et on pourrait restaurer la religion, la justice, la pureté des mœurs, le courage civique, selon les bonnes recettes de jadis. La démission-surprise du cabinet Waldeck-Rousseau, le 3 juin 1902, lui apporta la joie d'une première revanche. Mais c'était à peine suffisant. Le fruit n'était pas mûr. Il fallait attendre un moment plus propice pour déclencher le grand nettoyage.

Cette longue lutte et cette demi-victoire avaient épuisé Amicie au point qu'elle souhaitait à présent échapper, pour quelques semaines, à l'agitation de la capitale. Il lui paraissait d'autant plus nécessaire de prendre des vacances qu'elle avait dépensé beaucoup d'argent pour alimenter le budget de la ligue de la Patrie française et qu'elle avait besoin à la fois de réparer ses forces et de « faire relâche financièrement ». Elle eût voulu se mettre en route aussitôt. Mais son notaire personnel, Me Lanquest, avait été compromis dans l'escroquerie de Thérèse Humbert, dont la presse se gargarisait. Certes, le brave tabellion n'était pour rien dans cette sordide intrigue de faux et de captation autour d'un héritage imaginaire. Seulement, il avait le tort d'être l'homme de confiance des princes d'Orléans. Il n'en fallait pas plus pour que le Garde des Sceaux le soupçonnât des pires vilenies. Par chance, la Chambre des notaires s'étant portée garante de l'intégrité de Me Lanquest, Amicie put enfin partir, sans inquiétude et sans scrupule, vers les contrées méditerranéennes où elle avait choisi de s'étourdir.

Cependant, même loin de la France, elle continuait à craindre les abus de pouvoir d'un ministère acharné à la perte des honnêtes citoyens. Cette obsession lui gâchait les plaisirs du voyage. En retrouvant la rue d'Amsterdam, au mois de mars 1903, elle rapportait de son expédition le souvenir de quelques beaux paysages, de quelques monuments remarquables et d'une hantise politique qui l'avait poursuivie jusque devant les pyramides d'Égypte. Dès son retour, elle constata qu'une guerre sans merci s'était engagée entre le gouvernement et les défenseurs des congrégations catholiques. Fidèle à ses convictions destructrices, le « bloc républicain » des socialistes et des radicaux s'efforçait de décourager toute propagande religieuse et le nouveau président du Conseil, Émile Combes, un ancien séminariste passé à l'anticléricalisme militant, imposait par décret la fermeture de plus de deux mille écoles confessionnelles en France. Devant cette offensive de la laïcité, Amicie se porta, une fois de plus, volontaire pour aider Syveton et ses disciples, au nom de Dieu et de la patrie bafoués. Elle eût voulu que le pape Léon XIII excommuniât tous les républicains. Mais, trop prudent pour braver la clique des politiciens de gauche, le Saint-Père se contentait de prêcher le ralliement des âmes pieuses aux lois de la République tout en leur recommandant de respecter la loi du Seigneur. Sa seule excuse était son âge : il allait sur ses quatre-vingt-treize ans ! Quand il mourut, le 20 juillet 1903, Amicie n'eut pas l'hypocrisie de verser des larmes sur sa disparition. Elle lui gardait une rancune si tenace qu'il lui arrivait même de le traiter, dans l'intimité, d'« Antéchrist ».

Ce faisant, elle pensait à son frère, Jacques Piou, qui perdait là un des plus fameux défenseurs de son programme politique. La belle affaire ! Un jour, il finirait par comprendre qu'il se fourvoyait en préconisant une solution moyenne, alors que, pour sauver la France, il aurait pu, depuis le début, rejoindre sa sœur sous la bannière des vrais patriotes. D'un autre côté, elle savait, par des on-dit persistants, que ses fils continuaient d'afficher en public des opinions foncièrement réactionnaires. C'était un bon point, assurément ! Au fait, ne devrait-elle pas s'arranger pour les revoir ? Mais elle craignait d'être mal reçue par eux, en raison de son hostilité passée à l'égard de leur père. Sans doute n'éprouvaient-ils pas plus qu'elle l'envie d'une rencontre. Mis en présence de leur mère, ils n'auraient rien à lui dire. Et elle-même se demanderait ce qu'elle était venue chercher auprès d'eux. Tout les séparait : l'âge, les habitudes, les souvenirs, la philosophie, le comportement quotidien. L'expérience avait enseigné à Amicie que les êtres les plus proches d'elle étaient ceux qu'elle avait librement choisis et non ceux qui lui avaient été donnés par la nature. Si, pour certaines femmes, l'instinct maternel, dans sa spontanéité et son animalité, était une évidence à la fois physique et spirituelle, elle n'y décelait, pour sa part, qu'une aimable convention destinée à assurer le statu quo de la famille. La sienne étant disloquée depuis des dizaines d'années, elle n'imaginait pas la nécessité de se pencher sur des ruines. Moins ses fils auraient besoin d'elle pour organiser leur existence et plus elle pourrait consacrer de temps à la sienne propre. Peu lui importait que Jacques jouât à la Bourse et que Robert mangeât sa fortune en construisant des aéronefs, son rôle n'était pas de veiller à leur éducation mais à celle de la France. Du reste, d'après ce que lui avaient appris ses informateurs, les deux frères ne se voyaient guère en dehors de leurs rendez-vous de travail dans les bureaux de l'entreprise Lebaudy. S'ils ne jugeaient pas utile de se fréquenter davantage, ce n'était pas à elle de susciter artificiellement une entente qu'ils n'avaient jamais souhaitée. Monarchiste dans l'âme, elle n'allait tout de même pas être plus royaliste que le roi !

V

Quand une femme de la trempe de Mme Jules Lebaudy est piquée par la tarentule politique, elle en remontrerait aux hommes dans l'ardeur au combat. Quels que fussent les à-coups de sa vie intime, Amicie n'oubliait jamais que sa vocation était le sauvetage de la France. Elle avait admiré Jeanne d'Arc dans son enfance et mère Angélique dans son adolescence, mais, à présent, ces deux grandes figures se confondaient pour elle en une seule et elle se sentait inspirée à la fois par le courage moral de la Pucelle d'Orléans et par la rigueur ascétique de l'abbesse de Port-Royal. Il est vrai que les événements ne lui laissaient guère le temps de s'occuper de ses affaires personnelles. Ou plutôt ses affaires personnelles se ramenaient à la défense quotidienne de la patrie et de la religion. Certes, elle n'était pas indifférente à ce qui se passait hors des frontières, mais que la Russie eût déclaré la guerre au Japon, que l'armée russe, prétendument invincible, essuyât des revers, que la lèpre révolutionnaire gagnât les sujets du tsar, que la France signât des traités avec l'Angleterre ou avec l'Italie, elle jugeait toutes ces péripéties sous l'angle du bénéfice ou du danger qu'elles entraîneraient pour son pays. Au vrai, dans cette cascade d'informations disparates, les seules qui fussent pour elle significatives avaient trait aux élucubrations gouvernementales et aux réactions épidermiques de la nation. Ainsi, les dernières décisions du ministère Combes, telles l'interdiction de l'enseignement pour les congrégations religieuses, la rupture des relations diplomatiques de Paris avec le Saint-Siège, la suppression des emblèmes du culte catholique dans les prétoires des tribunaux, portaient sa fureur au paroxysme. Ignorant les menaces, elle rendait Loubet, Combes et les autres représentants de cet affreux régime de combinards et de sans-Dieu collectivement responsables de la honteuse dérive de la France.

Jules Lemaitre, devenu l'un des chefs les plus écoutés des anti-dreyfusards, avait écrit à propos du nouveau chef de l'État : « Son élection a été un défi à l'opinion publique : avant huit jours, nous l'aurons chassé de l'Élysée. » Or, malgré ces prédictions optimistes, Émile Loubet était toujours là, cramponné à son poste, et Combes ne se gênait plus pour traquer les partisans de la Patrie française.

L'acharnement du président du Conseil contre ses adversaires trop bien pensants prit bientôt de telles proportions que certains journaux, de tendance nationaliste, accusèrent le général André, ministre de la Guerre, de recourir au système condamnable des fiches pour procéder à une épuration de l'armée. Sur ces fiches, gardées au secret, tous les officiers étaient notés aussi bien selon leur compétence et leur zèle que selon leurs opinions politiques et religieuses. L'ensemble était supervisé et contrôlé par l'institution maçonnique du Grand Orient de France, d'obédience évidemment gauchiste. Cette révélation ayant été reprise par plusieurs gazettes, dont *Le Figaro*, le député de droite Guyot de Villeneuve relança le débat en lisant, à la tribune de la Chambre, des lettres qui dévoilaient les étroites relations entre le cabinet du général André et le secrétariat du Grand Orient. Pendant les discussions engendrées par l'incident, Amicie, qui avait acheté en sous-main, à un membre du cabinet du ministre de la Guerre, les documents destinés à confondre Combes, pensa d'abord que, grâce à elle, la Patrie française allait pouvoir enfin renverser les fantoches au pouvoir. Et, de fait, le 4 janvier 1904, après les ultimes accusations de Guyot de Villeneuve, il sembla bien que le ministre, démasqué, bousculé, à court d'arguments, fût sur le point de capituler. Sa déroute était si évidente que Gabriel Syveton voulut participer à la « mise à mort » de son vieil ennemi et, sans attendre l'annonce par le général André de sa démission, le gifla à deux reprises, sous les applaudissements des uns et les huées des autres. Aussitôt après, la majorité des parlementaires, ressoudée par un réflexe corporatif, s'insurgea contre de telles voies de fait perpétrées dans l'enceinte du palais Bourbon, vota l'exclusion immédiate de l'agresseur et exigea qu'il fût déféré devant les tribunaux. Tout en approuvant le geste de son ami Syveton et en regrettant de n'avoir pas souffleté l'impudent à sa place, Amicie s'inquiéta en pensant aux suites juridiques de l'affaire. Elle savait trop que, sous le régime actuel, les magistrats se souciaient moins d'être équitables que de complaire à ces messieurs du gouvernement. Toutefois, elle refusait de croire qu'ils oseraient condamner un Français dont le seul crime était d'avoir puni d'une paire de claques le responsable des malheurs de la France.

Accusé de violences sur la personne du général André, Syveton devait comparaître, le 9 décembre 1904, en cour d'assises. Or, le jeudi 8, des bruits alarmants parvinrent aux oreilles d'Amicie. On racontait, dans les salons et dans les rues, que le fameux député nationaliste venait de se donner la mort, par crainte de l'issue déshonorante du procès. On l'avait trouvé gisant inanimé dans son cabinet de travail, avec, entre ses lèvres crispées, le tuyau du poêle à gaz destiné au chauffage de la pièce. Dès qu'elle eut confirmation de la nouvelle, Amicie, horrifiée, s'écria : « Il ne s'est pas tué, on l'a assassiné ! » Dans son esprit, le chagrin rejoignait la révolte. Quelques jours plus tard, la démission d'Émile Combes et son remplacement par le soi-disant « modéré » Maurice Rouvier à la présidence du Conseil ne la consolèrent pas de la brutale disparition d'un homme qu'elle avait longtemps considéré comme le héraut d'armes de ses idées. Elle en voulait à l'épouse de ce dernier d'avoir si facilement accepté la thèse du suicide et de s'être laissée aller, au cours de l'enquête ouverte par le Parquet, à des confidences absurdes sur la vie dissolue du défunt. Pour rétablir la vérité, Amicie, qui n'avait aucune sympathie pour le directeur du *Gaulois*, Arthur Meyer, à qui elle reprochait ses origines juives (et cela bien qu'il eût mené jadis une campagne anti-dreyfusarde), résolut de s'adresser à lui pour assurer une large audience à ses opinions. Il accepta de lui envoyer un de ses collaborateurs et de publier l'essentiel de leur entretien. Le vendredi 3 février 1905, *Le Gaulois* insérait une interview de Mme Jules Lebaudy intitulée : *M. Syveton a été empoisonné.* Tout en reconnaissant que Syveton avait une santé précaire, qu'il fumait beaucoup, qu'il était sujet à de forts accès de fièvre, Amicie récusait la version du « malaise naturel » et affirmait que, selon les médecins qu'elle avait interrogés, un homme allongé sur le sol et inhalant du gaz par un tuyau ne pouvait mourir d'asphyxie, car, dès la première aspiration, sa position couchée l'aurait contraint à rejeter l'embout dans un réflexe irrépressible.

Elle espérait que cet article raviverait l'intérêt du public pour les véritables causes du décès de Syveton. Or, il n'en fut rien. En quelques mois, l'aventure du malheureux député de droite se noya dans l'épaisse indifférence de ses compatriotes. Une telle ingratitude à l'égard du combattant qui ne pensait, lui, qu'à la grandeur de son pays acheva de décourager les velléités revendicatrices d'Amicie. La vie n'eut plus pour elle la même saveur et les événements extérieurs s'éloignèrent d'elle. Que ce « pourri » d'Émile Loubet fût remplacé, à l'Élysée, par un quelconque Armand Fallières, que le trop sage Maurice Rouvier cédât son fauteuil de président du Conseil au trop radical Ferdinand Sarrien, que, de défaite en défaite, la Russie dût s'incliner devant le Japon, que le tsar, contesté par son peuple, acceptât un début de parlementarisme dans son empire, qu'un congrès de socialistes à Paris aboutît à la création d'une section française de l'Internationale ouvrière, la S.F.I.O., que le vote scandaleux de la Chambre et du Sénat instituât la séparation de l'Église et de l'État, que la voix même du nouveau pape, Pie X, tentant de protester contre ce sacrilège, fût couverte par les vociférations des parlementaires et des manifestants de gauche, Amicie refusait de se laisser tourmenter par les contorsions grotesques de son siècle et méprisait chaque jour davantage ses contemporains qui ne voyaient plus de salut que dans le bavardage, la jouissance et le progrès technique.

Pour ranimer, chez les gens de cœur, le souvenir du valeureux Syveton, persécuté par la franc-maçonnerie et le gouvernement républicain, Amicie eut l'idée d'inviter les membres les plus influents de la Patrie française à une cérémonie commémorative en l'honneur de son héros. Sollicité une fois de plus, le directeur du *Gaulois* accepta d'exposer, dans le salon d'attente du journal, un bas-relief de dimensions modestes, exécuté par un jeune prix de Rome à la demande et aux frais d'Amicie. Cette sculpture représentait le député Syveton lors d'une séance à l'Assemblée, debout, face à ses adversaires qui tentaient de lui couper la parole. Un cartouche portait l'inscription suivante : *A*

1. Madame Jules Lebaudy, née Amicie Piou.

2. Jacques Lebaudy.

3. Max Lebaudy.

4. Jacques Lebaudy, empereur du Sahara.

5. *L'empereur du Sahara*, chanson créée par Stritt, en 1905.

6. Le *Frasquita*, yacht de Jacques Lebaudy.

7. Augustine Dellière
et sa fille Jacqueline.

Jacques Lebaudy, l'empereur du Sahara, caricature de Sem, en 1903.

Dans l'Empire du Sahara. — 1. Son Altesse Impériale Jacques 1er parcourant ses états reçoit les félicitations de ses fidèles sujets.

9. L'empereur Jacques Ier parcourant ses États, caricature de J. Coulon.

Dans l'Empire du Sahara. — 2. Grande revue navale en présence de l'Amiral Suisse.

10. Dans l'empire du Sahara, grande revue navale, caricature de J. Coul

11. Le dirigeable Lebaudy, vue prise de l'Arc de Triomphe, vers 1910.

12. Tombeau de la famille Lebaudy (Jules Lebaudy), au cimetière du Père Lachaise.

Crédits photos :
Photos 1-7-8 : © D.R.
Photos 2-3-4-5-6-9-10-11-12 : © Roger-Viollet

Gabriel Syveton, mort pour son pays, le 8 décembre 1904. Madame Jules Lebaudy. Amicie espérait une grande affluence. Ce fut un fiasco. Quelques rares visiteurs, silencieux et comme gênés, défilèrent dans ce mausolée improvisé, et très vite Arthur Meyer se résigna à ranger le chef-d'œuvre méconnu dans un placard. Ce fut, pour Amicie, comme la seconde mort de son idole. Elle y vit même un désaveu de ses propres efforts. Tout à coup, il lui sembla que ses amis de la Patrie française ne la comprenaient plus, ne l'aimaient plus. A plusieurs reprises, Jules Lemaitre lui conseilla, à mots couverts, de ne plus se porter en avant à tout propos. Mais autant demander à l'eau de ne pas bouillir quand la marmite est sur le feu.

Ce fut vers cette époque qu'elle résolut de compléter son action politique par une action charitable. Sa répugnance instinctive pour la richesse et son respect chrétien pour la pauvreté ne pouvaient que l'inciter à employer sa fortune selon un double critère. D'une part, elle entendait puiser dans les revenus qu'elle touchait des raffineries Lebaudy pour continuer à soutenir les hommes politiques engagés dans le « bon combat » ; d'autre part, elle se sentait moralement obligée, par sa situation financière, de secourir les victimes de l'injustice sociale, afin de les réconcilier avec le monde de Dieu. Elle-même voulait tellement ressembler aux indigents qu'elle en adoptait la tenue et la frugalité, oubliant parfois, avec de secrètes délices, les lingots d'or qui dormaient dans ses coffres. Tout en jouant le rôle de « mendiante millionnaire », elle se disait qu'il n'y avait pas de sort plus enviable, dans le vaste théâtre de la Création, que celui d'une femme n'ayant aucun besoin matériel, aucune dette à rembourser, aucun souci à se faire pour son avenir et possédant assez d'argent pour s'assurer la gratitude générale, sans trop se démunir elle-même. Habitée à la fois par la frénésie de la politique et par celle de la philanthropie, Amicie cherchait depuis longtemps le moyen de soulager sa conscience sans entamer son capital. Elle avait opté d'abord pour une fondation de bienfaisance, qui aiderait les petites gens nécessiteux et méritants. Mais, désireuse, comme toujours, de rester dans l'ombre, elle craignait que cette bonne action ne lui valût une notoriété incompatible avec son goût de la discrétion. Après avoir consulté plusieurs hommes de loi, elle finit par créer un établissement d'utilité publique en précisant que cette institution demeurerait anonyme de son vivant et ne prendrait qu'à sa mort le nom de « Fondation Amicie-Lebaudy ».

Cependant, sa conception du devoir des riches envers les déshérités avait évolué avec les années. Si, autrefois, elle trouvait toutes les qualités à ceux qui avaient été épargnés par la tentation corruptrice de l'argent, elle découvrait peu à peu que les laissés-pour-compte de la chance étaient souvent aussi détestables que les nantis. Ils la décevaient dans la mesure où, au lieu d'être sanctifiés par la pénurie, ils étaient davantage enclins à obéir aux bas instincts de l'espèce humaine. La fréquentation des quartiers ouvriers, où elle s'aventurait par piété, comme elle se fût rendue à la messe, lui avait appris à juger ceux qui occupaient les derniers échelons de la hiérarchie avec la même sévérité que ceux qui se gobergeaient au sommet. A présent, elle savait que le vice ignorait les frontières sociales. En somme, si elle continuait à aimer la pauvreté, elle n'aimait plus les pauvres. Ou plutôt, elle souhaitait que les pauvres fussent dignes de la pauvreté qu'ils avaient reçue en partage.

A ce tournant de ses pensées, le véritable sens de sa mission sur terre lui était apparu avec une précision prophétique. Puisqu'elle était une privilégiée, elle devait employer sa fortune non pas à améliorer simplement la situation matérielle des indigents, mais à les éduquer dans le respect de la morale, de l'hygiène et de la tradition, afin qu'ils pussent être fiers d'être français. Elle avait tenté jadis d'élever ses enfants « à la dure » pour en faire des hommes ; elle avait échoué ; elle allait se rattraper en s'appliquant, par dévouement chrétien, à modeler le caractère et les usages d'une multitude d'individus. Ce qu'elle n'avait pas réussi sur le petit nombre, dans sa famille, elle comptait le réussir sur le grand nombre, parmi les mal logés et les impécunieux. Ce rêve gigantesque l'avait conduite, dès 1899, à subventionner largement la société civile du « Groupe des Maisons ouvrières », le G.M.O. Selon les statuts inspirés par elle, le G.M.O. avait pour but « la construction de maisons salubres et à bon marché en vue de leur location à des personnes n'étant propriétaires d'aucune maison, notamment à des ouvriers ou employés vivant principalement de leur travail ou de leur salaire [1] ». En décidant de se dévouer au bien-être des classes populaires, Amicie obéissait à une triple nécessité intérieure : premièrement, racheter en partie la responsabilité de son mari dans la faillite de l'Union générale, qui avait ruiné, en 1882, tant de petits épargnants catholiques ; deuxièmement, assouvir son besoin d'éduquer ses semblables et de faire leur bonheur malgré eux ; troisièmement, meubler ses loisirs en fuyant les vaines afféteries de la mondanité.

Fidèle à la règle de l'anonymat, elle s'occupait activement des réalisations du G.M.O., consultait et dirigeait les architectes chargés des travaux, voyageait à l'étranger pour visiter ce qui se construisait hors de France dans le domaine des logements sociaux, mais s'abstenait de paraître aux réunions du conseil de la Fondation. Tout le monde savait qu'il y avait une femme riche à millions et d'une volonté de fer derrière cette vaste entreprise, mais nul, ou presque, ne la

1. Monique Eleb : *Le Groupe des Maisons ouvrières*, Paris, 1908.

voyait jamais. Même lors de ses incursions en Allemagne, en Italie, aux États-Unis, elle adoptait une tenue de miséreuse ; et, à Paris, elle s'obstinait à faire seule ses emplettes chez les commerçants, à ne se déplacer qu'à pied ou en omnibus et à rogner sur ses dépenses de beurre ou de viande. Ses instructions de spécialiste de la philanthropie urbaine, elle les donnait chez elle, loin des bureaux de la Fondation, à son plus fidèle collaborateur, qui était aussi le trésorier du G.M.O., Eugène Hatton. Elle ne se bornait pas à verser entre ses mains, directement et sans reçu, l'argent qu'elle destinait à la Fondation, elle le chargeait d'expliquer à ses collègues les idées générales qui la guidaient dans son combat pour la régénération civique. Ainsi exigeait-elle qu'en aucun cas le loyer bon marché ne devînt gratuit. « Nous devons aide et protection à l'ouvrier, disait-elle, mais non lui faire l'aumône, que je considère comme humiliante et dégradante pour ceux qui peuvent travailler. » Et aussi : « Mon intention, en construisant des habitations, n'a pas été seulement de procurer des logements hygiéniques aux travailleurs parisiens, mais de les habituer à l'ordre, à la propreté, à la discipline, au respect d'eux-mêmes, en un mot à les moraliser ; c'est, par l'élimination des éléments mauvais, mon véritable but[1]. » Cette prétention de régenter ses semblables en assainissant leur mode de vie irritait parfois tel ou tel membre du conseil. Architectes et administrateurs discutaient pour savoir s'il était possible d'agrandir la taille des cabinets de toilette au risque de les voir utilisés comme chambres à coucher ou comme dépotoirs par des locataires mal intentionnés. Dans les premières habitations de ce genre, les hommes et les femmes célibataires occupaient des appartements situés dans des parties distinctes de l'édifice. Si Amicie avait toléré finalement qu'on logeât les deux sexes dans le même corps de bâtiment, elle ordonnait que le concierge surveillât les allées et venues « illégitimes » pour maintenir les bonnes mœurs dans la maison dont il devenait ainsi à la fois l'espion et l'ange gardien. Elle se préoccupait en outre de l'aspect esthétique des immeubles du G.M.O. et demandait aux architectes que les maisons des pauvres fus-

1. Lettre de Mme Lebaudy à Eugène Hatton, du 11 octobre 1908, citée par Monique Eleb, *op. cit.*

sent extérieurement aussi avenantes que les maisons des riches et ornées, autant que possible, dans le style « art nouveau », cela dans le souci d'apprendre aux plus humbles de ses concitoyens à aimer et à respecter « le Beau ». Par ailleurs, elle exigeait que filles et garçons d'une même famille eussent des chambres séparées, qu'il fût interdit aux locataires de bavarder entre eux dans les « parties communes », car de tels rassemblements finissent toujours par engendrer de la contestation, voire de la révolte, qu'un local de « rangement » fût prévu pour les « voitures [1] », qu'on fournît au plus vite une suspension dans la cuisine-salle à manger de chaque appartement, laquelle serait ensuite équipée électriquement, et qu'on installât sur la main courante des escaliers d'immeubles des « boules saillantes » pour empêcher les enfants de « se livrer à des glissades dangereuses ». Chacun de ces détails avait été suggéré par Amicie — toujours invisible — afin que ses maisons fussent des modèles de moralité, de propreté et

1. Il s'agissait en l'occurrence de voitures à bras, permettant aux ouvriers le transport de leurs paquets et de leurs meubles.

de confort au meilleur prix. Eugène Hatton était, à cet égard, un porte-parole exemplaire. Grâce à lui, Mme Jules Lebaudy menait son monde à la baguette sans bouger de chez elle. Elle avait doté la Fondation de cent mille francs par mois et vérifiait les comptes avec une sévérité amicale. De nombreuses réalisations du G.M.O. surgirent ainsi, au fil des années, à Paris et en banlieue. Il y eut des maisons ouvrières rue Ernest-Lefèvre, rue Jeanne-d'Arc, rue de l'Amiral-Roussin…

En même temps qu'elle se préoccupait d'améliorer l'habitat des plus démunis, Amicie entendait maintenir dans toute sa rigueur sa conception dictatoriale de la charité. C'est pourquoi, malgré les nombreux appels au secours qu'elle recevait par l'intermédiaire de ses conseillers juridiques, elle écartait systématiquement les sollicitations de caractère individuel. Pourtant, un jour, elle résolut de faire un don à une vieille femme réfugiée dans une roulotte et surnommée la « Mère des Forains ». Pour « valoriser » son sacrifice, elle se rendit elle-même au domicile de cette prétendue clocharde, sur un terrain vague, au-delà de Ménilmontant, glissa l'enveloppe contenant l'argent dans la boîte aux lettres fixée à la porte de la roulotte et, rentrée chez elle, attendit un billet de remerciement. Elle n'en reçut aucun. En déplorant l'ingratitude de la mendiante, Amicie grommela : « Une simple bourgeoise m'aurait répondu ! » Plus tard, ayant été éconduite par la sœur tourière du couvent des Filles de la Charité, alors qu'elle apportait une obole considérable à la mère de Wignacourt, supérieure de la communauté, elle se précipita chez son notaire et l'obligea à convoquer dans son étude la mère supérieure afin de lui signifier, de la part de son habituelle bienfaitrice, Mme Lebaudy, que son couvent était « indigne de s'appeler "Les Filles de la Charité" si on y recevait les pauvres de la même manière [1] ! »

Selon Amicie, pour rendre service aux déshérités, il fallait les traiter comme des recrues à leur arrivée au régiment. Sa philosophie était à la fois rude, paternaliste et ploutocratique. Elle avait été révoltée par la vague de grèves qui avait affecté le pays en 1904 et 1905. Le record avait été battu en 1906, avec mille trois cents grèves et quatre

1. Cité par Marcel Barrière, *op. cit.*

millions de journées chômées. « Ce ne sont pas les bas salaires qui provoquent les grèves, disait-elle, mais l'indiscipline du prolétariat et la perfidie des politiciens qui les mènent ! Il n'y a pas à Paris, actuellement, un seul cheminot ou mineur mal payé et qui souffre de la moindre privation. A Paris, ce ne sont pas les bourgeois qui achètent les poulets, les huîtres et le gibier, mais les ouvriers... La pauvreté est une maladie comme une autre, qui n'arrive jamais par accident, mais par la faute des êtres sans courage qui la font naître ou ne savent pas l'éviter. Il y a même des pauvres incurables, tous ennemis du travail ou de l'effort. » Ce principe, elle voulut l'appliquer à la lettre dans la destination des immeubles construits avec son argent. En dissimulant sa démarche de donatrice professionnelle, elle avait conscience à la fois de se venger d'un mari haïssable et de rehausser, pour les générations futures, la gloire d'un nom qu'il avait failli déshonorer à jamais.

Or, malgré les précautions prises par Amicie pour cacher l'ampleur de son activité philanthropique, la famille ne fut pas longue à en être avertie. Bien entendu, Jacques et

Robert s'indignèrent contre l'usage déraisonnable qu'elle faisait de l'argent gagné grâce à la bonne gestion des raffineries Lebaudy. Sans aller jusqu'à traiter d'irresponsable cette femme qui jadis avait voulu doter leur plus jeune frère, Max, d'un conseil judiciaire pour crime de prodigalité, ils souffraient en songeant à tous les bénéfices sucriers distribués par elle à des gens qui, peut-être, avaient perdu jusqu'au goût du sucre. N'était-il pas temps de la mettre elle-même sous tutelle pour la préserver contre ses coûteux entraînements ? Cependant, alors que ses fils la taxaient de démence sénile, ils cédaient, de leur côté, à des aberrations qui inquiétaient leur entourage. Les revenus des raffineries étaient si importants et si réguliers qu'ils encourageaient les principaux actionnaires à des initiatives parfois hasardeuses. En vérité, si Jacques et Robert Lebaudy croyaient être aux antipodes de leur mère, ils lui ressemblaient par un trait essentiel de leur tempérament : le besoin de rêver à des performances inaccessibles au commun des mortels. Tandis qu'Amicie, par patriotisme et conviction morale, n'avait en tête que l'édification des classes laborieuses, Jacques ne se préoccupait que de régner sur des terres vierges et Robert que de conquérir le ciel. Et chacun des trois estimait que les deux autres côtoyaient la folie.

VI

Contrairement à sa mère, qui ne franchissait jamais le seuil du numéro 122 de l'avenue de Neuilly, siège social de la plus importante raffinerie de France, Robert Lebaudy était un hôte assidu des bureaux. Chaque jour, de son cabinet de travail, il dirigeait avec habileté les destinées de l'entreprise familiale. Ses collaborateurs s'accordaient à louer sa compétence, son abord courtois, son goût de la besogne bien faite et son sens de l'opportunité commerciale. La seule étrangeté que se permettait cet homme d'affaires-né était sa passion débordante pour les aérostats. Sur sa table, les plans des ingénieurs en aérostatique voisinaient avec les dossiers relatifs à la fourniture de betteraves, région par région, et à l'activité chiffrée de l'usine de raffinage de la

Villette. On savait qu'il soutenait financièrement la mise au point des dirigeables semi-rigides dont ses cousins Pierre et Paul Lebaudy avaient entrepris la construction. Il avait même chargé un de ses plus précieux adjoints, Henri Julliot, directeur technique des sucreries Lebaudy, de perfectionner ces engins extraordinaires, dont les premières performances soulevaient l'enthousiasme des amis du progrès. Dès le 13 novembre 1899, un dirigeable des frères Lebaudy, conçu selon les directives de Julliot et baptisé le *Jaune*, à cause de la couleur jaune moutarde de son enveloppe, était parti de Vaugirard et avait contourné, à plusieurs reprises, la tour Eiffel. L'année suivante, c'étaient deux concurrents étrangers, le Brésilien Santos-Dumont et l'Allemand Ferdinand von Zeppelin, qui, malgré quelques incidents, leur ravissaient la vedette. Saisi par l'émulation, Robert Lebaudy excitait ses cousins à accepter la compétition internationale. Les trois Lebaudy, unis dans l'exploitation du sucre, le furent aussi étroitement dans celle des aéronefs. Or, le 12 mai 1902, le *Pax* de Santos-Dumont explosait en vol au-dessus de l'avenue du Maine, à Paris. Ingénieur et mécanicien furent tués sur le coup. Le 13 octobre 1902, le dirigeable du baron de Bradsky survola Paris mais une soudaine dépression déséquilibra l'appareil et, au moment de l'atterrissage, la nacelle, en se renversant, s'abattit sur les aéronautes et les blessa gravement. Fallait-il, à cause de cette double mésaventure, renoncer dès à présent à la conquête de l'air ? Personne, parmi le trio Lebaudy, n'osa émettre cette hypothèse défaitiste. Robert était le plus entêté du groupe. Sans doute tenait-il cette obstination de sa mère, laquelle, tout en jugeant que son deuxième fils s'égarait en voulant rivaliser avec les oiseaux, comprenait, à part soi, qu'il fût lui aussi le jouet d'une marotte. C'est ainsi que, le jeudi 12 novembre 1902, en dépit de l'échec de Santos-Dumont, le dirigeable des frères Lebaudy, inventé par Julliot et piloté par Juhmès avec l'assistance de Rey, son mécanicien habituel, appareillait du parc de Moisson, près de Mantes, et, malgré un vent peu favorable, s'élevait au-dessus de la Seine, dépassait Nanterre, le champ de courses d'Auteuil, piquait sur la tour Eiffel et s'approchait majestueusement du Champ-de-Mars.

Réunie autour de la galerie des Machines, qui avait été choisie comme but de l'expédition, une foule de badauds, le nez en l'air et une petite angoisse au ventre, attendait le moment où le monstre de la navigation aérienne reprendrait contact avec le sol. Haut de quarante-cinq mètres, long de quatre cent vingt mètres, l'immense hall métallique, édifié pour l'Exposition universelle de 1889, était tout indiqué pour abriter le dirigeable. Robert Lebaudy, ses cousins Pierre et Paul, de nombreux membres de la « famille sucrière », des journalistes et une multitude de curieux assistaient à l'événement. Bien que tentée par le spectacle, Amicie ne s'était pas dérangée. Elle tenait à marquer ses distances envers ceux qui cédaient inconsidérément à ce genre de folie. Pour elle, ce n'était pas avec un ballon gonflable qu'on gagnait le Ciel. Elle se demandait même si les hommes qui s'aventuraient dans les hauteurs du royaume de Dieu ne commettaient pas un sacrilège, dont ils auraient à répondre au jour du Jugement dernier. L'enthousiasme de ses concitoyens devant ces prétendues prouesses sportives la consternait. Quand elle entendait dire autour d'elle, avec une nuance d'admiration goguenarde, qu'après avoir assuré leur règne sur la terre les sucres Lebaudy allaient s'offrir la suprématie dans les airs, elle dissimulait son irritation sous un froid sourire de mépris. Sans l'avouer à personne, elle s'attendait à apprendre d'un moment à l'autre que le Seigneur, excédé par ces violations répétées de son domaine, venait d'infliger une punition aux explorateurs de l'espace. Mais il était possible aussi que Dieu fût amusé par ces visites intempestives. Devait-elle le souhaiter puisque Robert était impliqué dans l'aventure ?

Pendant que, réfugiée chez elle, Amicie se posait la question sans pouvoir y répondre, là-bas, devant la galerie des Machines, un de ses neveux embauchait, pour la circonstance, des ouvriers habituellement employés à la démolition des ruines de l'Exposition universelle. Dirigés par lui, ils unirent leurs efforts afin d'abattre des cloisons de planches à l'intérieur de l'édifice, d'aider à l'atterrissage de l'aéronef en s'attelant à ses amarres et de le haler, avec puissance et douceur, sous l'abri du hangar désaffecté. Des acclamations frénétiques saluèrent le pilote Juhmès et son mécanicien quand ils sortirent de la nacelle.

La foule stupéfaite les regardait comme les revenants d'un voyage sur la lune. Les frères Pierre et Paul Lebaudy, ainsi que Robert, promoteur de l'expédition, furent également ovationnés pour leur contribution à la victoire de l'aérostation française. Certains disaient que, grâce à eux, l'industrie du raffinage en France venait de conquérir ses lettres de noblesse.

En lisant les journaux le lendemain matin, Amicie fut partagée entre le soulagement et la crispation devant les extravagances de son fils Robert, en qui elle refusait de se reconnaître. Elle espérait qu'après cette exhibition couronnée de succès les aéronautes de la famille consentiraient à redevenir sérieux et à délaisser leur coûteuse chimère. Mais, au lieu de se tenir tranquilles, Robert et ses cousins se piquaient au jeu et décidaient qu'au bout d'une semaine de repos le dirigeable *Lebaudy* serait extrait de son abri de la galerie des Machines et reprendrait ses vagabondages dans l'atmosphère. Cette fois, l'exploit envisagé par eux était un vol de Paris à Chalais-Meudon, siège de l'aérostation militaire française.

Le 20 octobre 1903, Robert, Paul et Pierre

Lebaudy, réunis sur le Champ-de-Mars, faisaient leurs dernières recommandations au pilote Juhmès et au mécanicien Rey avant de les regarder s'installer, impavides, dans la nacelle. Détaché de ses amarres et tiré par l'équipe des ouvriers du chantier auxquels s'étaient joints une centaine de cavaliers du 2e cuirassiers, le gigantesque ballon de forme oblongue s'ébranla vers la sortie et fut conduit, à traction d'hommes, sur le Champ-de-Mars, le long de l'avenue La Bourdonnais. A onze heures du matin, le moteur était mis en route. Douze minutes plus tard, Juhmès commandait : « Lâchez tout ! » Libéré de ses entraves, le *Lebaudy* s'élevait doucement, sans à-coups, et s'avançait vers la Seine, laissant à sa droite la tour Eiffel, indifférente et hiératique. Un immense hourra ! salua cette ascension irréprochable. Mais Robert n'ignorait pas que, malgré les précautions prises, un accident pouvait à tout moment compromettre l'opération. Les nerfs tendus, il suivait à la jumelle la progression du *Lebaudy* sous la légère couverture de nuages. Après avoir survolé la porte de Saint-Cloud, le dirigeable dut affronter les bourrasques de vent qui s'opposaient à sa marche vers le sud-ouest.

Entre-temps, Robert, ses deux cousins, le constructeur Julliot et quelques passionnés de prouesses sportives s'étaient transportés, dans des automobiles, à Chalais-Meudon pour y accueillir les héros. Assemblés devant le hangar de service, les responsables de l'expérience en cours et les officiers de la base de Chalais-Meudon discutaient de la façon dont les sapeurs aérostiers assureraient pour le mieux les manœuvres au sol. Trouvant sans doute que l'atterrissage devant le hangar, comme on l'avait d'abord prévu, serait trop dangereux à cause des arbres avoisinants, le pilote Juhmès actionna la soupape afin de se poser avant l'obstacle, dans une prairie toute proche. Le *Lebaudy* s'apprêtait déjà à prendre contact avec la terre ferme par sa béquille. Les hélices étaient arrêtées. Mais, avant que les sapeurs aérostiers eussent pu saisir les amarres, une brusque rafale de vent rabattit le dirigeable sur un arbre qui se dressait à proximité. Perforée dans le choc, l'enveloppe se déchira sous la pression intérieure du gaz. Vidé d'un seul coup, comme un corps privé de son âme, l'appareil tomba lourdement, d'une hauteur de six mètres. Les trois Lebaudy et l'ingénieur responsable se précipitèrent vers les lieux de la catastrophe. Par miracle, la plate-forme de protection se trouvant au-dessus de la nacelle avait résisté à la secousse de la collision. Enfermés dans cette espèce de cage rigide, les occupants en avaient été quittes pour la peur. Mais le *Lebaudy* était sérieusement endommagé. Pour consoler les initiateurs du vol, les officiers de la base les assurèrent que, d'après les observations faites par eux, le but de l'expérience avait été atteint et même dépassé. En effet, le glorieux engin avait parcouru dans les airs, d'une seule traite, sept kilomètres et huit cent cinquante mètres en trente-six minutes ; sa vitesse moyenne avait été de sept mètres soixante-dix-sept par seconde ; sa hauteur avait oscillé entre cent et deux cent vingt mètres. Selon les connaisseurs, ces chiffres, d'une précision indiscutable, classaient les frères Lebaudy au premier rang des serviteurs de l'aérostation nationale.

Comme pour répondre à l'attente de tous ces admirateurs anonymes, les trois Lebaudy mirent en chantier, dès les premiers mois de 1904, un nouveau dirigeable, le *Lebaudy n° 2*, qui était une reproduction sensiblement améliorée du *Lebaudy n° 1*, alias le *Jaune*, détruit l'année précédente au parc aérostatique de Chalais-Meudon. Sans accroître la longueur de l'appareil, on augmenta le volume de gaz grâce à un arrondissement de l'enveloppe à l'arrière, on doubla cette enveloppe par deux épaisseurs de caoutchouc et on perfectionna la stabilité de l'ensemble par l'adjonction, à la queue du ballon, d'un aileron de huit mètres de largeur. Ainsi revu et corrigé, le *Lebaudy n° 2* reçut lui aussi, dès ses premiers essais, les compliments des spécialistes.

En parcourant les commentaires élogieux des journaux, Amicie se rappelait le temps où elle se recroquevillait de honte et de colère dès qu'il était question de son mari dans quelques gazettes « bien parisiennes » à propos du krach de l'Union générale. Pour une fois, le nom de Lebaudy, qu'elle avait voulu si souvent jeter aux orties, était à l'honneur dans la presse. Il y avait là, pensait-elle, une juste revanche sur l'ignominie dont Jules s'était rendu coupable jadis et qui avait, par contrecoup, éclaboussé tous les siens. Pouvait-elle tenir rigueur à son fils et à ses neveux de leurs extravagances, alors qu'ils en avaient profité pour redonner du lustre à une famille si longtemps vilipendée ? D'ailleurs, la France entière semblait atteinte, à présent, de la maladie de la lévitation. A côté des dévots du ballon captif et de l'aérostat s'installaient superbement ceux de l'aéroplane. Ces émules du « plus lourd que l'air » s'extasiaient devant les exploits des rares casse-cou qui décollaient du sol sur d'étranges cerfs-volants à moteur et arrivaient à se maintenir quelques instants en l'air, au péril de leur vie. Ils ne juraient que par les noms d'Ader, de Voisin, de Wright, tandis que leurs opposants invoquaient les performances, autrement convaincantes à leurs yeux, des dirigeables du type Lebaudy. On discutait ferme aux séances de l'Aéronautique Club de France, fondé dès 1897. Chacun y tirait à soi la couverture céleste. En apprenant que l'armée elle-même s'intéressait aux ballons captifs, aux ballons libres, aux dirigeables et aux aéroplanes, Amicie se retrouva placée devant une question embarrassante : de deux choses l'une, ou bien les gens les plus sérieux avaient perdu la boussole, ou bien elle était irrémédiablement en retard sur son siècle et en exil dans sa patrie.

Comme elle ne voulait pas s'avouer vaincue par un progrès qu'elle avait toujours récusé, elle décida, par plaisanterie, d'obéir à la vogue moderne de l'aérostation en qualifiant son appartement de la rue d'Amsterdam de « ballon captif », puisqu'il lui permettait de se détacher du monde. En effet, dans plusieurs quartiers de Paris, le séjour en ballon captif était devenu une attraction de qualité. On allait se distraire en grimpant dans la nacelle du ballon de la porte Maillot ou du ballon de la tour Eiffel. Celui de la porte Maillot avait d'ailleurs été arraché dernièrement par un coup de vent et ses douze occupants avaient failli périr dans la chute. Cette tragique mésaventure n'avait pas entamé le goût de certains citadins pour la situation élevée dans une nacelle. Amicie prétendait partager l'engouement de ces amateurs d'espaces illimités, sans toutefois en accepter les risques. De même que les personnalités les plus raffinées s'installaient avec joie dans l'hatitacle en osier d'un ballon captif, de même, dès qu'elle en avait assez de coudoyer ses contemporains, elle se réfugiait dans son propre « ballon captif », lequel, bien que situé au premier étage d'une rue très passante, était à mille pieds au-dessus de la cohue du vulgaire. Il lui suffisait de passer la porte de son logis parisien pour rompre tout lien avec la terre et ses habitants si peu recommandables. L'altitude, pour elle, n'était pas une question de mètres mais de sentiments. Quand on était, comme elle, en règle avec sa conscience, on n'avait pas besoin d'un ballon captif ou d'un dirigeable pour échapper aux lois de la pesanteur.

Tandis qu'elle planait ainsi au-dessus de la mêlée, les trois Lebaudy, associés dans la navigation aérienne comme dans la raffinerie, engloutissaient de l'argent pour la construction d'un dirigeable encore plus performant. Les amateurs d'ascension se retrouvaient, le soir, au restaurant *Chez Maxim's* afin d'y confronter leurs impressions et leurs rêveries. Ils souhaitaient entraîner tout le pays dans le ciel. Sollicité par Robert de se joindre au groupe des promoteurs d'une nouvelle expérience, son frère Jacques s'était dérobé sous des prétextes fallacieux. Pour Robert, qui le connaissait bien, cette réserve ne pouvait être due ni à un accès d'avarice, ni à une crainte soudaine devant les dimensions de l'aventure. De toute évidence, Jacques avait, de son côté, quelque grand projet et il en était à ce point entiché qu'il refusait de courir deux lièvres à la fois.

VII

Les seules qualités de Jacques Lebaudy étaient, selon Amicie, l'obstination dans la poursuite de ses « dadas » et son pouvoir de dissimulation face aux indiscrets. D'ailleurs, pas plus que son frère Robert ou que sa sœur Jeanne, il ne manifestait le désir de voir sa mère. Elle s'en plaignait d'autant moins qu'elle détestait l'hypocrisie et préférait la solitude à la compagnie des gens, fussent-ils de sa famille, avec lesquels elle ne se sentait aucune affinité. Certes, entre le numéro 2 de la rue de Berri où il habitait et la rue d'Amsterdam où elle avait accroché son « ballon captif », il n'y avait guère que quelques minutes de marche, mais il est de courtes distances urbaines plus infranchissables que les sables infinis du désert. Jacques Lebaudy, tout en vivant à Paris, était aussi éloigné de sa mère que s'il s'était expatrié au fin fond de l'Afrique. Célibataire, fort riche de naissance, avare et rude par tempérament, il se contentait de liaisons raisonnablement affichées, menait une existence à la fois opulente et discrète, évitait de faire parler de lui à tout propos, touchait, comme de juste, les substantiels dividendes des raffineries Lebaudy et arrondissait, de temps à autre, son capital par d'astucieux coups de Bourse. Si cet homme maigrichon et falot, au menton rasé et à l'œil terne, ne payait pas de mine, s'il s'habillait de noir en toute saison, s'il boutonnait sa veste jusqu'au col comme s'il eût trouvé indécent de laisser voir un coin de son linge de corps et s'il ne se séparait jamais de son grand parapluie de coton, cet aspect d'huissier fureteur et compassé ne l'empêchait pas de fréquenter le Tout-Paris et d'être membre du Jockey Club, du Yacht-Club de France et de la Société de Steeple-Chase. Renfermé dans un mutisme obstiné quand on l'interrogeait sur ses combinaisons financières, il n'hésitait pas à proclamer avec fracas ses opinions politiques. Sans paraître se rallier aux idées de sa mère, il se disait, comme elle, anti-dreyfusard et nationaliste à tous crins ; comme elle, il estimait que, vendue aux malfrats de la gauche, la France était en train de perdre son âme et son argent. Ayant subi de fortes pertes lors du procès de la Compagnie franco-algérienne des chemins de fer d'Oran, il avait imaginé de se substituer à cette société défaillante en construisant, à ses frais, la ligne du Transsaharien du Sud-Ouest, qui aboutirait à Saint-Louis, alors capitale du Sénégal. Cette proposition aventureuse, il l'avait, bien entendu, soumise d'abord au gouvernement, et celui-ci n'avait pas jugé bon d'y donner suite. Une fin de non-recevoir aussi absurde avait renforcé l'animosité de Jacques Lebaudy à l'égard des radicaux et des socialistes, saboteurs de la grandeur française.

Pourtant, il n'était pas dans son caractère de lâcher prise à la première déconvenue. En dépit de tous les obstacles qu'on dressait sur ses pas, il rêvait d'égaler la gloire d'un Savorgnan de Brazza au Congo ou d'un Cecil Rhodes dans le sud de l'Afrique. La zone où il envisageait de construire *son* chemin de fer supposait qu'on choisît un point de débarquement commode pour le début des travaux. Ayant consulté des livres et étudié des cartes, il se décida pour le cap Juby. De ce fait, pendant que Robert et ses cousins se passionnaient pour les incursions prometteuses de l'homme dans les airs, Jacques n'avait en tête que sa propre incursion sur le sol saharien. Les rails de Robert étaient invisibles et célestes, ceux de Jacques terrestres et en acier trempé. Mais l'un et l'autre étaient possédés par le même besoin d'évasion, de conquête et de dépaysement.

Le problème capital auquel Jacques Lebaudy eut à faire face fut d'ordre international. A qui, au juste, appartenait la région du cap Juby ? Renseignements pris, le Maroc revendiquait cette étendue de sable et y entretenait même une petite garnison dans un fortin, mais l'état de semi-anarchie où se trouvait ce territoire entre la France, établie en Algérie et Tunisie, et l'Espagne, maîtresse de *presidios* sur la côte méditerranéenne, en faisait un objet de convoitise sans qu'aucune puissance européenne fût encore résolue à se l'approprier. Aussitôt, Jacques Lebaudy se sentit appelé à débarquer par surprise dans cette contrée quasiment vierge, avec un groupe de « conquérants civilisateurs » à sa solde. Ils l'aideraient à fonder en cet endroit inhospitalier un nouvel État, dénommé « empire du Sahara », dont il serait le maître absolu. Ce coup de force — ou de génie — lui permettrait d'appliquer sur un peuple neuf les principes de saine politique dont la République pourrie ne voulait pas. Ce ne serait pas là une quelconque colonie de la France, mais une nation indépendante, vouée, par son souverain Jacques Lebaudy, à la justice, à la fraternité et à la sagesse. Pendant que sa mère construirait des maisons pour quelques vagues indigents et que son frère s'acharnerait à jouer à pigeon vole avec des ballons gonflés de vent, il créerait, lui, par ses seuls moyens, un vrai pays, peuplé de vrais sujets, qui lui devraient plus que la vie : le bonheur ! Pour se « faire la main » en attendant le départ de l'expédition, il commença par fonder une « société des Nitrates du cap Juby » destinée à financer l'extraction des richesses minières de ce coin béni et à préparer les travaux de construction du chemin de fer qui, peu à peu, remplacerait l'ancienne route des caravanes. Son exaltation était telle qu'il devait se contenir douloureusement pour taire devant ses intimes l'immense espoir qui l'enflammait. Un soir qu'il avait invité un de ses amis, le fameux dessinateur Sem, à une représentation théâtrale, celui-ci constata qu'à part les deux places occupées par eux au parterre tous les autres fauteuils de la rangée étaient vides. Comme l'artiste s'en étonnait, Jacques Lebaudy lui expliqua qu'il détestait avoir des voisins dans une salle de spectacle, que la vraie pureté résidait dans le désert, que la vie sociale en France se ramenait à un pataugeage dans un cloaque et qu'il en serait ainsi tant que le pays aurait à sa tête des francs-maçons assis à califourchon sur de prétendus droits de l'homme. «Je ne serai pas complice de cette décadence, concluait-il. Je vais créer une patrie où tous les individus de bonne volonté trouveront le bonheur[1] !»

Sans doute se laissa-t-il aller à tenir des propos aussi virulents devant la gardienne de son immeuble, au 2, rue de Berri, car, au terme d'une bruyante altercation, elle lui jeta à la tête le contenu d'un bol d'eau de Javel. Les brûlures au visage de Jacques Lebaudy se révélèrent superficielles, mais le choc psy-

1. «La folle équipée de Jacques Lebaudy», par Louis Sapin, dans *Du premier jazz au dernier tsar*, de Gilbert Guilleminault.

chologique de l'algarade fut déterminant. Le geste de la concierge lui parut la traduction des sentiments de la plupart des Français envers son esprit novateur. Ce n'était pas la pipelette de Jacques Lebaudy, c'était le gouvernement, c'était la République, c'était la France entière qui le chassaient. Heureusement, prévoyant ce malentendu entre lui et ses compatriotes, il avait déjà pris des dispositions en vue d'un départ pour l'Afrique. Sa goélette de yachtman, le *Frasquita*, l'attendait depuis des mois dans le port de Fécamp. Il l'avait achetée deux ans auparavant. Elle jaugeait cent cinquante tonneaux et comportait un équipage de douze hommes, recrutés, à sa demande, par M. Clerc, le directeur de la *Yachting Gazette*. Son capitaine, M. Vian, était assisté du maître d'équipage Honoré Gras. Tout était prêt pour recevoir avec les honneurs le propriétaire du navire. Il ne manquait que l'étincelle de l'allumage. Elle venait de lui être donnée, à l'insu de tous, par la stupide et coléreuse gardienne de l'immeuble. L'incident avec la concierge avait eu lieu, selon tous les témoignages, le 3 mars 1903. Dès le lendemain, 4 mars, Jacques Lebaudy prenait le train, à la gare Saint-

Lazare, pour Fécamp. Il était accompagné par sa maîtresse du moment, Augustine Dellière, une jeune actrice brune, pâlotte, aux manières douces et au regard obéissant. Elle n'était guère au courant des visées délirantes de son amant, mais, puisqu'il était cousu d'or et libre de toute entrave conjugale, elle se disait prête à le suivre au bout du monde. Elle était flanquée de deux gaillards, Baussy et Hidoux, aussi résolus qu'elle était effacée et qui servaient à Jacques Lebaudy d'hommes de confiance et peut-être d'hommes de main.

Dès leur arrivée à Fécamp, les quatre passagers montèrent à bord du *Frasquita*, qui arborait le pavillon personnel de son armateur, et le capitaine ordonna de lever l'ancre. Mais la mer était si grosse que Jacques Lebaudy, saisi de nausées, se fit débarquer, avec sa petite suite, à Cherbourg. Incapable d'affronter plus longtemps la tempête, il profita d'une accalmie, se rendit à Southampton et y prit un paquebot de la ligne régulière pour atteindre, avec le moins de roulis, le moins de tangage et le maximum de confort, le port de Funchal, au Portugal, où son yacht devait venir le rejoindre. Puis, ayant regagné des couleurs et de l'assurance, il hâta le départ du groupe vers les Canaries. D'ailleurs, entre-temps, son ambition s'était développée. Il voyait de plus en plus loin et de plus en plus grand. « Au diable l'avarice ! se disait-il. Quand on veut empocher un empire, il faut savoir y mettre le prix ! » Remonté à bloc, il adressa à M. Clerc, le directeur de la *Yachting Gazette*, une dépêche comminatoire : « Prière recruter et envoyer à Madère vingt matelots solides. » Une autre dépêche, destinée à ses bureaux de la rue de Berri, spécifiait : « Envoyez-moi cinq fusiliers marins à Las Palmas, Canaries. »

Le *Frasquita* atteignit Las Palmas vers la mi-mai. Cependant, Jacques Lebaudy était trop impatient pour se prélasser dans les délices des îles Fortunées [1]. Comme les fusiliers marins tardaient à venir, il fit appareiller le bateau sans même prévenir de son départ le consul de France. Dès le 23 mai 1903, le futur souverain du Sahara, sa maîtresse Augustine Dellière et ses deux principaux collaborateurs cinglaient vers les rivages d'Afrique. Le premier jour de navigation se déroula dans une atmosphère bon enfant, qui

1. Ancien nom des îles Canaries.

laissa présager à l'équipage une paisible partie de plaisir. Mais, dès le deuxième jour, Baussy, chapitré par Jacques Lebaudy, rassembla ses hommes et leur enjoignit de donner désormais à leur employeur le titre de commandant. Quelques heures plus tard, il leur annonça que le commandant était devenu général. C'était une façon de les préparer graduellement à la révélation capitale qu'il leur réservait. Le soir, revêtu pour la circonstance d'un uniforme d'officier, Baussy les fit mettre en rangs, tête nue, devant Jacques Lebaudy, qui était, lui, toujours habillé de noir mais ne portait plus de parapluie, et leur lut un manifeste par lequel le général qui les avait embauchés s'était, depuis, proclamé empereur du Sahara, qu'il avait droit, en conséquence, au titre de Majesté, qu'on devait s'adresser à lui en l'appelant « sire » et que Mlle Augustine Dellière se trouvait, du coup, élevée à la suprême dignité d'impératrice. Tandis que Baussy commentait l'événement avec toute la solennité voulue, Jacques, raidi dans la conscience de sa mission, savourait un succès qu'il ne devait qu'à lui-même. Pour se conforter dans son bonheur, il se disait que tous les hommes de génie qui avaient conquis le pouvoir à la faveur d'un coup d'État avaient agi comme lui, que Bonaparte, à ses débuts, n'était qu'un petit lieutenant corse, aux manières gauches et à l'audace calculée, que toute réussite historique était due à la conjonction du culot et de la chance et qu'il n'y avait pas de raison pour que lui, Jacques Lebaudy, qui avait triomphé dans le maniement de l'argent, ne triomphât pas également dans le maniement des hommes et l'annexion de territoires. Seulement, à son avis, pour fonder une société solide, il fallait l'enfermer dans un corset de lois coercitives et d'usages protocolaires. Il tenait beaucoup aux formules, au décorum, aux préséances légués par des siècles de monarchie. Afin de bien préciser ses intentions pour l'avenir, il fit lire par Baussy, devant tout le personnel du *Frasquita*, le premier ordre du jour de l'expédition du Sahara, en date du 24 mai 1903 : « Il sera procédé demain au débarquement sur la côte d'Afrique. A cet effet, il sera formé une section de débarquement de huit hommes. La section de débarquement sera en armes [...]. Nous venons pour ouvrir à la civilisation un pays actuellement inconnu et inexploré. Bien que les habitants soient des barbares — leur vrai nom est Berbères —, nous devons les traiter avec justice et même avec bienveillance. Seule la légitime défense est non seulement un droit, mais aussi un devoir. Chaque fois que cela sera possible, on se contentera de faire des prisonniers, qui seront solidement garrottés. Tout captif amené vivant donnera droit à une prime de trois cents francs[1]. » Les marins échangèrent des regards d'indécision et d'inquiétude. Pour leur prouver qu'il ne s'agissait pas d'une plaisanterie, Jacques Lebaudy leur désigna, à l'avant du *Frasquita*, deux canons Hotchkiss de 47 et 37 millimètres, montés sur des chevalets de bois et assujettis par des cordages.

Justement, quelques silhouettes humaines s'agitaient au loin, sur le rivage désertique, à une grande distance, d'après la carte, du fortin tenu par les Marocains. Qui étaient ces énergumènes remuants ? Des indigènes sans doute. Des ennemis peut-être. Jacques Lebaudy choisit de rester pour l'instant dans l'expectative. Sa règle était d'éviter toute

1. Cf. Georges Benoît-Guyot : *Les Colonisations manquées.*

provocation et de favoriser, autant que possible, la diplomatie. Cependant, dès le lendemain, 25 mai, il notait dans le journal de bord du *Frasquita* : « Nous mouillons à trois milles de la côte, par dix mètres de fond environ. Je commande une section de débarquement composée de huit hommes, armés de fusils à répétition et de revolvers[1]. » Cette avant-garde de l'« armée de pacification du Sahara » s'embarqua sur un canot, sans enthousiasme. Tandis que les rameurs tiraient sur les avirons, Jacques Lebaudy, debout à l'avant, scrutait à la jumelle la plage inhospitalière. Personne pour l'accueillir. Ni pour le repousser. C'était décevant ! Néanmoins, lorsque la barque accosta et que Jacques Lebaudy mit le pied sur cette dune hérissée, çà et là, de quelques grêles lentisques, il éprouva le sentiment de Moïse touchant le but de son voyage biblique. Cette terre, dont il avait tant rêvé à Paris, lui était enfin servie sur un plateau, avec ses habitants. Il ne les voyait pas encore, mais ils étaient certainement là et se cachaient, intimidés, derrière des levées de sable. Soupçonnant une ruse de guerre, il s'élança à leur découverte.

1. Louis Sapin, *op. cit.*

Le « corps expéditionnaire » le suivait à contrecœur.

Après une brève et vaine exploration dans les environs, Jacques Lebaudy s'apprêtait à regagner le canot lorsque deux bédouins loqueteux, sortis d'on ne savait où, apparurent en gesticulant et en bredouillant des paroles inintelligibles. Le plus âgé s'enfuit à toutes jambes dès que Jacques Lebaudy s'avança vers lui. Mais l'autre, un jeune Maure d'une quinzaine d'années, sembla enchanté de la rencontre. Les yeux allumés de curiosité et la bouche rieuse, il voulut toucher du doigt le fusil de Jacques Lebaudy, mais y renonça devant l'air menaçant du propriétaire et, en signe d'amitié sinon de soumission, lui baisa la main. Le futur empereur examina avec bienveillance le premier de ses sujets qui lui manifestait ainsi son obéissance. « Sous sa tunique, notera-t-il, il y avait une sacoche de cuir pendue à sa ceinture et une corne à poudre, finement travaillée, dont la forme rappelait tout à fait le cor de chasse d'Hernani à la Comédie-Française [1]. » Le petit Arabe se montra si spontané et si cor-

1. *Ibid.*

dial que les marins le baptisèrent incontinent d'un prénom chrétien : Auguste (peut-être par un discret hommage à Augustine Dellière, leur impératrice !). Le gamin eût souhaité embarquer avec eux sur le canot. Mais Jacques estima que la barque serait trop chargée. « Nous reviendrons demain ! lui promit-il. Demain ! *Mañana !* » Ayant regagné le *Frasquita*, il nota la péripétie dans le journal de bord et écrivit par la suite : « Nous mouillons dans une baie, que nous baptisons baie de la Liberté, par 28°40 de latitude nord. Nous accostons la terre en canots [1]. »

Averti, comme par télépathie, de l'arrivée des Français, Auguste les attendait, toujours aussi hilare, bavard et remuant. Cette fois, Jacques Lebaudy consentit à l'amener à bord du *Frasquita*. Là, il tenta de questionner le garçon sur les mœurs du pays, mais, faute d'interprète, la conversation, par signes et par grimaces, ne donna aucun résultat probant. L'amitié entre le peuple arabe et les conquérants fut scellée par un échange de cadeaux. Jacques Lebaudy s'appropria la poire à poudre et le poignard d'Auguste et le

1. *Ibid.*

combla de friandises que le gamin savoura devant lui avec gourmandise en roulant des yeux. A la fin de ces manifestations de mutuelle sympathie, les matelots qui avaient procédé à l'« arrestation » du premier indigène osèrent réclamer à Sa Majesté la prime de trois cents francs qu'il leur avait promise. Cette prétention indigna Jacques Lebaudy qui s'écria avec une fureur jupitérienne : « Vous n'avez droit à rien, puisqu'il n'y a pas eu de coups de feu ! » A demi convaincus par l'argument, les membres de l'équipage n'eurent pas l'audace de contredire celui qui était sinon leur empereur, du moins leur employeur, et ravalèrent leur rancune en courbant la tête.

Après avoir passé la nuit à bord, Auguste fut ramené à terre et le *Frasquita* repartit à faible allure, longeant le littoral en direction de Rio de Oro, avec de brèves haltes pour la prospection de l'arrière-pays. A chaque descente des explorateurs, Jacques Lebaudy ressentait le délicieux pincement au cœur du pionnier devant un site nouveau. Certes, le paysage, sable et lentisques, ne variait guère. Mais tout cela était à lui ! Et cela seul importait. Au retour d'une de ces visites sur les lieux de son nouvel empire, il notait avec une orgueilleuse simplicité : « Et voilà comment nous avons pris possession de cette fameuse côte convoitée par plusieurs puissances européennes qui n'y ont pas débarqué un seul soldat, par crainte de ces Maures redoutables et des complications diplomatiques [1]. » Plus il avançait dans la conquête de sa future patrie et plus il regrettait de n'avoir pas à ses côtés un historiographe de talent pour relater ses exploits. Bien qu'il ne pensât jamais à sa mère, sauf pour la critiquer, il se disait parfois qu'un jour ou l'autre elle serait fière d'apprendre qu'il y avait, au Sahara, un État dont les lois répondaient à ses propres idées d'ordre, de dignité, de justice, et que l'empereur qui régnait sur cette contrée idéale était son fils Jacques. Il songeait aussi que cette grandeur incommensurable, il la devait certes à son esprit d'entreprise, mais plus encore, sans doute, à ses capitaux, et cette idée, loin de lui déplaire, accentuait son euphorie. Pourquoi un homme qui tire naturellement vanité de son intelligence ou de son instruction n'aurait-il pas le droit de se féliciter

1. Louis Sapin, *op. cit.*

d'avoir beaucoup d'argent ? De même qu'un artiste en renom, ayant eu la tête tournée par les articles des journaux et les applaudissements du public, se prend parfois pour un demi-dieu, de même un millionnaire à qui rien ne résiste et qui peut acheter n'importe quoi ou n'importe qui a des excuses si, de temps à autre, il perd les pédales. Mais lui, du moins, se savait capable de surmonter, en cas de nécessité, ce genre d'ivresse. Il se flattait même de conserver intact le sens des réalités au plus fort de ses divagations. Ainsi avait-il indiqué, dans un message à M. Clerc, de la *Yachting Gazette*, les termes précis du contrat à faire signer par les vingt matelots supplémentaires qu'il recruterait, en son nom, pour la conquête du Sahara. Leur solde, fixée à six francs par jour, leur serait versée soit mensuellement, soit trimestriellement, et M. Jacques Lebaudy se réservait le droit de les licencier à tout moment sans explication, alors qu'ils seraient tenus de l'avertir un mois à l'avance s'ils voulaient quitter son service. Toutes les clauses de l'engagement étaient d'un style draconien. Est-ce le caractère très strict de cette convention qui impressionna les hommes ? Bien qu'ayant donné leur accord, les vingt marins sélectionnés ne se décidaient pas encore à partir. Après un échange de dépêches avec Jacques Lebaudy, son secrétaire particulier à Paris, M. Benoît, versa aux recrues hésitantes une provision de trois cents francs à valoir sur leur solde, ce qui aplanit instantanément les réticences. Un yacht portugais, le *Dahlia*, frété à l'initiative de Jacques Lebaudy, les amena, le 1er juin, à Las Palmas. Alors qu'ils s'attendaient à être employés comme gabiers, ils furent prévenus, dès le premier rassemblement de l'équipage, qu'ils faisaient partie d'une compagnie de débarquement dont le rôle était de conquérir l'empire du Sahara et qu'à ce titre ils allaient suivre un stage pour apprendre à se servir de carabines Winchester et à pointer un canon. Ils furent également avisés que le principal objectif de Sa Majesté Jacques Ier était d'occuper par les armes les points stratégiques de la côte africaine et d'y élever une capitale, dont le nom, choisi par lui, serait Troja. Cette déclaration d'intention entama quelque peu le courage des vingt volontaires récemment recrutés en France. Au moment d'embarquer sur le *Frasquita*, dix d'entre eux manquaient à l'appel. Il fallut aller les chercher, ivres morts, dans les cabarets de la ville, où ils avaient bu la moitié de leur solde.

En dépit de ce contretemps, le « yacht amiral » appareilla sous la direction du maître d'équipage Honoré Gras. Le 10 juin, le navire jetait l'ancre à trois milles au large du cap Juby. Les canots prirent la mer, emportant une douzaine d'hommes que commandait Jacques Lebaudy en personne. Après une rapide reconnaissance de la plage, il y fit monter deux tentes, tout heureux de passer une première nuit à terre, dans son empire. Des sentinelles se relayèrent autour du campement pendant le sommeil de Sa Majesté. Dix fois, Jacques Lebaudy s'éveilla en sursaut, croyant à une attaque des indigènes. Mais il ne se passa rien d'anormal. Au petit jour, deux bédouins se présentèrent devant le « caïd français », manifestèrent leurs dispositions pacifiques par des courbettes et indiquèrent l'emplacement du point d'eau le plus proche. Jacques Lebaudy en conclut que l'endroit était parfaitement choisi pour y bâtir Troja, sa future capitale, et, laissant derrière lui un contingent de sécurité de cinq hommes, sous les ordres de Le Picart, repartit avec les autres, vers le sud, afin de déterminer le lieu où s'élèverait la seconde ville du pays, baptisée d'avance Polis. La consigne de ceux qui restaient sur place était de ne rejoindre le *Frasquita* qu'en cas de grand danger et si toute résistance à un ennemi supérieur en nombre se révélait impossible. Ils avaient d'ailleurs des vivres et des munitions en abondance. Quant au courage, ils n'en manquaient pas, ayant même juré à Sa Majesté qu'ils lui seraient dévoués jusqu'à la mort.

Le canot transportant Jacques Ier atteignit une baie dont la conformation lui parut accueillante. Mettant pied à terre avec les hommes de son escorte, il leur annonça qu'en ce point se dresserait bientôt la superbe Polis, rivale de Troja par l'élégance de son architecture et le bien-être de ses habitants. Ce serait ici, du reste, que se trouverait leur caserne. Ne voyant devant eux qu'un horizon de sable, les marins commencèrent à sourire et à murmurer. Agacé par cette incompréhension des gens simples devant un projet qui les dépassait, Jacques Ier arrêta là son exposé et retourna avec eux à bord du *Frasquita*. Dès le lendemain, réunissant le reste de l'équipage, il décida un débarquement en force, pour assurer la sécurité des lieux. La plupart des hommes lui obéirent, en grognant et en rigolant. Mais certains hésitaient à descendre dans les canots. Le bouillant Hidoux, devenu le second de Sa Majesté dans la hiérarchie gouvernementale et administrative, flaira un début de contestation et s'écria : « Ignorez-vous quelles sont les peines prévues pour une tentative de mutinerie à bord ? » « Je les connais, répliqua effrontément le gabier Heurtel. Mais nous avons été engagés comme marins, non pour nous occuper des postes à terre [1]. » Après de fastidieuses palabres, l'ensemble du corps expéditionnaire fut enfin conduit, en faisant force de rames, vers la plage et Jacques Ier, ayant pardonné aux hommes leur accès de mauvaise volonté, prit la tête du groupe de reconnaissance qui devait s'enfoncer à l'intérieur du pays. On recherchait un point d'eau. On n'en trouva pas. En revanche, on rencontra, chemin faisant, une caravane d'une quarantaine de Maures, entourés d'une nuée de serviteurs nègres et accompagnés d'un

1. Louis Sapin, *op. cit.*

troupeau de deux cents chameaux. Jacques Ier devina qu'il s'agissait là d'un chef de tribu voyageant avec sa suite. Soucieux de se concilier les bonnes grâces de son futur vassal, il multiplia devant lui les salamalecs et répéta même gravement, comme on le lui avait recommandé, la formule de bienveillance : *La Allah illah Allah !* Le patriarche qui l'écoutait était assurément habitué aux honneurs. Pour manifester sa considération envers le visiteur français, il proposa, par signes, de lui vendre plusieurs négrillons. L'empereur Jacques Ier n'en avait que faire et refusa avec politesse, mais, avisant une jeune Mauresque, voilée jusqu'aux paupières inférieures et dont, au-dessus du tchador, les yeux avaient un éclat fascinant, il se déclara disposé à en prendre livraison moyennant un prix raisonnable. La réponse qu'il reçut fut un non catégorique. A la moue indignée de son interlocuteur, il comprit qu'il avait commis un impair. Peu après, il devait apprendre que la jeune personne qu'il avait voulu acheter était la fille du patriarche. Une surenchère d'exclamations fraternelles, le regard au ciel et la main sur le cœur, acheva de régler cet incident diplomatique. La jeune Mauresque resta auprès de son père et on se sépara bons amis.

Avant de regagner le *Frasquita*, l'empereur Jacques Ier eut un comportement pour le moins étrange. « Sur la plage, racontera le marin Heurtel, M. Lebaudy se contenta d'enterrer dans le sable deux boîtes d'allumettes suédoises, une boîte de bougies et deux boîtes de conserve[1]. » Si l'entourage de Jacques Lebaudy s'étonnait de ce geste puéril, lui, en revanche, y attachait une importance symbolique et, pour ainsi dire, sacramentelle. C'était là une façon discrète et forte à la fois d'imprimer sa marque sur une terre conquise par lui, sans coup férir, la preuve de la fondation, connue de lui seul encore, de l'empire du Sahara et de la future Troja. A peine revenu à bord du *Frasquita*, il donna l'ordre d'appareiller pour retourner à Las Palmas. Il avait tellement hâte d'« officialiser » l'acquisition de cette contrée vierge qu'il ne se souciait pas, pour l'instant, des quelques hommes qu'il avait abandonnés dans le désert sous la responsabilité de Le Picart. Entre l'acte de naissance de son empire et le

1. Louis Sapin, *op. cit.*

sort de quelques misérables qui se languissaient sous leur tente, il n'y avait pas à hésiter quand on était un conducteur de peuple.

En premier lieu, il importait d'informer toutes les chancelleries du monde de l'apparition sur la scène internationale de l'empire du Sahara, dont le créateur et souverain absolu était Sa Majesté Jacques Ier. Aussi Jacques Lebaudy ordonna-t-il qu'avant d'atteindre les Canaries le pavillon français fût remplacé à l'arrière du yacht *Frasquita* par un pavillon aux couleurs du nouvel État. Sa conviction était si intransigeante que le mythe s'imposait maintenant dans son esprit avec le relief aveuglant de la réalité. Il ne trompait pas les autres, puisqu'il n'avait pas le sentiment de se tromper lui-même. C'est avec une totale sincérité que Jacques Lebaudy parlait à présent de son armée, de sa flotte, de ses ministres, de ses représentants à l'étranger. Contrairement à Don Quichotte qui se battait contre des moulins à vent en croyant affronter des géants, Jacques Ier ne se détournait jamais des vrais géants et des vrais traquenards qui s'opposaient à son dessein grandiose. Il estimait que, son peuple étant composé de dizaines de tribus de religion musulmane, il se devait de respecter la croyance de ses sujets à condition, bien sûr, que de leur côté ils respectassent les lois qu'il leur dicterait. Ayant chargé Hidoux, ex-instituteur au chômage devenu secrétaire impérial, d'établir le protocole de sa cour, il exigea que toute correspondance à lui adressée portât la suscription suivante : « A Sa Majesté Jacques Ier, empereur du Sahara. » Quiconque omettrait de lui parler à la troisième personne au cours d'une audience serait immédiatement éconduit avec blâme. Toutes les ethnies sahariennes seraient tenues d'arborer, sur la tente de leur chef, le pavillon de l'empire : blanc avec croissant et étoile d'or, la confection de cet emblème étant à la charge du palais de Troja.

Mis au courant de ces consignes, les marins, avant même l'arrivée aux Canaries, se répandaient en commérages malveillants. Certains songeaient à déserter dès qu'on serait à quai. Lorsque le capitaine du port de Las Palmas monta à bord du *Frasquita*, il avait déjà été alerté au sujet de l'étrange comportement du propriétaire. Bien qu'officier, il était venu tout bonnement habillé en civil. Ce manquement à l'étiquette lui valut d'être renvoyé sur-le-champ par Hidoux, sous le prétexte que Sa Majesté était en train de déjeuner et qu'elle n'aimait pas être dérangée pendant son repas. Tenace, il revint en grand uniforme, la poitrine harnachée de décorations. Cette fois, Jacques Ier le reçut, mais avec une morgue significative. Prenant l'officier de haut, il refusa de répondre à son questionnaire, car il le jugeait outrageant pour un souverain en exercice. Impressionné malgré lui, le capitaine du port lui demanda le minimum de renseignements prévus pour autoriser l'accostage, à savoir de déclarer nettement et officiellement la nationalité de son bateau. « Mon pavillon, s'écria Jacques Ier en désignant d'un geste de la main la corne d'artimon, regardez-le bien, c'est le pavillon saharien ! »

Le capitaine se retira, pensif. Mais il informa aussitôt le consul de France, M. Tallien de Cabarrus, de la singulière façon dont son compatriote, M. Jacques Lebaudy, l'avait accueilli à bord d'un navire battant pavillon saharien. Là-dessus, M. de Cabarrus enregistra la plainte de quinze marins du *Frasquita* que Jacques Lebaudy, mécontent de leur service, avait congédiés sans préavis.

Embarrassé par ce conflit subalterne, il leur conseilla de déléguer trois d'entre eux auprès de leur patron pour essayer de négocier avec lui des conditions acceptables. Les émissaires se heurtèrent à un potentat furibond, qui, au lieu d'écouter leurs doléances, les abasourdit par un discours sur la décadence de la France républicaine et la prospérité du futur empire du Sahara. Après quoi, il les chassa de sa vue en les menaçant de poursuites judiciaires s'ils continuaient à le tourmenter pour des vétilles.

Dans l'intervalle, le *Frasquita* ayant été mis en quarantaine par les autorités portuaires, Jacques Lebaudy adressa au consul de France une lettre l'informant qu'il avait laissé cinq marins de nationalité française sur la côte africaine et que, par conséquent, il était indispensable qu'il pût repartir au plus tôt, avec le reste de l'équipage, pour ravitailler les malheureux, lesquels, faute de vivres, se mouraient de faim. Or, justement, le vapeur *Dahlia* venait d'arriver à Cadix en amenant quatre fusiliers marins supplémentaires, expédiés de Paris à la demande de Jacques Lebaudy. Avant de se présenter à lui, ils avaient été prévenus par leurs nouveaux compagnons d'armes qu'ils ne devaient pas s'étonner des bizarreries de leur employeur, car il était assez riche pour les couvrir d'or et de titres « comme de vrais ministres ». Selon les « anciens », on pouvait tout « encaisser » d'un homme qui savait si bien « décaisser ». Dès le début de la conversation qu'il eut avec les dernières recrues, Jacques Ier voulut mettre les choses au point. Selon le récit du fusilier marin Lévêque, au lieu de se renseigner sur leur passé professionnel, il les questionna d'abord sur leurs opinions politiques :

« — Il faut connaître ce gouvernement de francs-maçons et de crapules ! leur dit-il d'emblée. Savez-vous qui est Loubet ?

« — Le président de la République, répondit avec une parfaite innocence le matelot Brun.

« — Erreur ! C'est un franc-maçon. Et Combes ?

« — Un franc-maçon, dit Brun pour ne pas contrarier le patron.

« — Et les membres du Jockey-Club ?

« — Des francs-maçons !

« — Espèce d'idiot ! C'est l'élite de la

nation ! On devrait leur confier les rênes du gouvernement[1] ! »

Malgré cet entretien saugrenu, les quatre fusiliers rejoignirent, avec une apparente docilité, le reste de l'équipage. Aussitôt après, le *Frasquita*, ayant achevé son temps de quarantaine, put enfin faire voile vers le rivage africain, en direction de l'hypothétique Troja. Mais, en découvrant la côte, Jacques Ier eut beau scruter l'horizon avec sa longue-vue, il ne vit pas trace du poste militaire qu'il avait laissé là, sous le commandement de Le Picart. Intrigué, il se fit conduire au plus près de la plage dans un canot, débarqua, avec de l'eau jusqu'à la ceinture, et se rendit sur les lieux où se dressait naguère le campement. Plus une âme et pas le moindre vestige. Même la tente avait disparu, comme arrachée par un coup de vent. Tandis qu'il s'interrogeait sur le sort de ces hommes qu'il avait dû abandonner, six ou sept Arabes armés de fusils s'approchèrent de lui. Sur un signe de sa part, ses gardes du corps épaulèrent, prêts à tirer. Mais déjà l'un des arrivants, le saluant avec déférence, lui mettait

1. Rapporté par Louis Sapin, *op. cit.*

sous les yeux un billet signé de Le Picart. Jacques Lebaudy parcourut le message, griffonné sur un vilain papier. Il en ressortait que, le 12 juin dernier, les marins s'étant écartés de leur tente pour aller pêcher avaient été assaillis et capturés par les guerriers de la tribu des Izerguils. Ayant emmené leurs prisonniers loin à l'intérieur du pays, les ravisseurs demandaient à être « dédommagés » pour leur rendre la liberté. « Si vous descendez à terre pour nous délivrer, écrivait Le Picart, surtout n'apportez pas d'armes, car vous nous feriez massacrer. Les indigènes refusent de nous laisser partir si vous ne versez pas une rançon de cinq mille pesetas [1]. »

Après s'être emporté contre l'outrecuidance de ces « barbares », qui osaient parler de rançon à leur empereur, et avoir affirmé bien haut qu'il ne serait pas « assez poire » pour leur céder, Jacques Lebaudy accepta, en maugréant, d'aligner mille francs, mais pas un sou de plus, à condition que ses hommes lui fussent rendus sains et saufs. Les Maures, s'étant concertés dans leur baragouin, lui firent comprendre que cette offre leur conve-

1. Cité par Georges Benoît-Guyot, *op. cit.*

nait. A la fois soulagé et courroucé, il regagna le *Frasquita* pour chercher la somme. A son retour, il était accompagné de douze marins en armes, répartis entre deux canots. Il croyait la question réglée, mais, quand il sortit l'argent de sa poche, les Arabes esquissèrent une grimace. Revenant sur leur accord, ils se lançaient à nouveau dans des commentaires incompréhensibles, se chamaillaient entre eux et secouaient la tête dubitativement. Puis, soudain, tournant les talons, ils s'éloignèrent sans toucher aux billets de banque que Jacques Ier agitait dans le vide à leur intention.

Il réintégra le *Frasquita*, avec dans l'âme un poids de dépit et de remords insupportable. Plus il réfléchissait à la réaction des Maures et plus l'esprit de ce peuple lui semblait impénétrable. Le lendemain matin, dès son réveil, il se rendit sur le pont et braqua sa longue-vue en direction de la plage. Avec surprise, il aperçut Le Picart qui, à genoux sur le sable, tendait des bras suppliants vers le navire et appelait ses camarades au secours. Voulant en avoir le cœur net, Jacques Ier alerta les marins et envoya cinq d'entre eux aux nouvelles, dans un canot. Ils revinrent peu après, avec des mines désolées, et racontèrent que les compagnons de Le Picart avaient été emmenés captifs dans une région éloignée, qu'ils risquaient d'y mourir, épuisés par la faim et les mauvais traitements, et implorèrent Sa Majesté de verser les cinq mille pesetas exigées par les brigands arabes. Après les avoir écoutés, les sourcils froncés et le regard réprobateur, Jacques Ier refusa de céder au chantage. « Je ne suis pas responsable de ce qui vous arrive ! s'écria-t-il. Vous êtes ici à vos risques et périls ! Ceux qui se font attraper, tant pis pour eux ! » Devant l'inflexibilité de leur chef, les marins se cotisèrent, chacun versant son écot. « Justement, nous avions reçu le remboursement de notre voyage de Paris à Las Palmas, racontera le fusilier marin Lévêque. A trois, cela faisait près du tiers de la somme. Tout le monde vida ses poches. Jusqu'au petit mousse, Placide Thibaut, qui donna sept pesetas, toute sa fortune. » La collecte rapporta mille francs. Touché par cet élan de solidarité au sein de son équipage, Jacques Ier ajouta mille francs en billets de banque. On espérait à bord que cette somme suffirait à assouvir l'exigence des Maures et que, même s'ils ne libéraient pas tout le groupe, ils accepteraient du moins de laisser partir Le Picart. De nouveau, quelques émissaires se rendirent sur les lieux pour traiter l'affaire. Quand ils se présentèrent à l'endroit de la plage où Le Picart devait les attendre, celui-ci avait disparu. Sans doute ses geôliers avaient-ils perdu confiance en la solvabilité des navigateurs français et, las de ces marchandages inutiles, avaient-ils contraint leur prisonnier à les suivre, sous la menace des armes, dans un lointain repaire.

Là, Jacques Ier jugea que la coupe était pleine. Ce brigandage sur ses terres était une atteinte à sa souveraineté. Le temps était venu de montrer aux populations indigènes que, sous son règne, on ne plaisantait pas impunément avec les lois de l'empire. Sur son injonction, Augustine se retira dans sa cabine du *Frasquita*, prête à affronter tous les périls de la « conquête » aux côtés de son « empereur », et le bateau appareilla immédiatement à destination de Las Palmas. Jacques Ier espérait y trouver les moyens matériels et juridiques indispensables au rétablissement de l'ordre. Certes, il eût préféré n'avoir recours à aucun pays prétendument civilisé pour l'aider à assurer la police à l'intérieur de ses frontières. Mais, tout en vivant dans un perpétuel mirage, il voulait prouver qu'il n'avait pas perdu contact avec certaines vérités. A son avis, on pouvait fort bien être à la fois chimérique dans ses projets et pragmatique dans leur réalisation. Don Quichotte ne sortait jamais de ses rêves ; lui, il se soumettait à un constant va-et-vient entre l'intangible et le tangible. Il n'avait pas besoin d'un Sancho Pança pour le tirer par les basques au moment où il était sur le point d'oublier les nécessités du lieu et de l'heure. Toutefois, pour affirmer sa conviction en la légitimité de la cause impériale, il s'accorda le plaisir de braver, une fois de plus, le sens commun en arborant le pavillon saharien dans les eaux espagnoles et en refusant de jeter l'ancre à l'emplacement que la commanderie du port lui indiquait, parce qu'il préférait se fixer où bon lui semblait. De même, dans un sursaut d'orgueil, il renvoya, sans daigner les lire, les lettres officielles de l'administration des îles Canaries qui n'étaient pas adressées à Sa Majesté Jacques Ier, empereur du Sahara, mais à un quelconque M. Jacques Lebaudy.

Alors que les autorités de Las Palmas

s'interrogeaient sur la meilleure façon de se débarrasser de cet hôte encombrant, Jacques Ier, ignorant les finasseries, tranchait dans le vif : trois fusiliers marins lui paraissant insuffisamment dévoués à sa personne, il les congédia sans préavis et sans indemnité. Comme le consul de France, appelé à la rescousse par les matelots licenciés, tentait mollement de défendre leur cause devant l'employeur, celui-ci le remit vertement à sa place et exigea qu'au lieu de se préoccuper du sort de ces incapables il fît envoyer au cap Juby l'aviso français stationné au Sénégal, avec ordre de délivrer les cinq marins du *Frasquita* tombés aux mains des forbans arabes. Après quoi, indifférent aux suites de sa demande d'expédition punitive, il estima le moment venu pour lui, après tant de tracas accumulés en quelques semaines, de prendre un repos prolongé et se retira incognito dans l'hôtel Santa Brigitta, à onze kilomètres de Las Palmas. Avant de s'éclipser ainsi, il avait chargé Hidoux et Baussy de rédiger des communiqués annonçant au monde la fondation de l'empire du Sahara, sous l'autorité bénéfique de Sa Majesté Jacques Ier. Ils devaient en outre commander en son nom, dans les meilleurs établissements d'Europe, le matériel nécessaire à des installations portuaires modernes. En effet, bien que Troja n'existât encore que sur le papier, il fallait, selon lui, traiter cette cité avec tous les égards que méritait une capitale à vocation maritime.

Tandis que Jacques Lebaudy se détendait les nerfs dans le calme de l'hôtel Santa Brigitta, la presse parisienne, excitée par des dépêches venues d'Afrique, rendait compte des débuts de son équipée. Dès le 18 juin 1903, en ouvrant *Le Journal*, sa mère découvrait, en troisième page, un article intitulé « M. Jacques Lebaudy chez les sauvages ». « Une expédition commandée par M. Jacques Lebaudy, lut-elle avec effarement, a occupé, le mois dernier, une partie de la côte occidentale d'Afrique entre le cap Bojador et audelà de Juby. L'expédition est armée de fusils à répétition et de canons Hotchkiss à tir rapide. [...] Bien que fanatiques et hostiles aux étrangers, les indigènes n'ont pas opposé de résistance [...]. D'importants travaux vont être commencés. L'emplacement d'une ville est choisi où l'on va procéder à la construction d'un port. » Encore tout étourdie par cette nouvelle, Amicie ne put se retenir de comparer sa minable prétention de construire des maisons ouvrières à bon marché aux projets architecturaux, sociaux et politiques de son fils. Elle bricolait pendant qu'il bougeait des montagnes ; elle ne recherchait que la gratitude d'une poignée de mal logés alors qu'il briguait l'honneur de figurer en bonne place dans les pages d'une *Histoire universelle.* Mais ne visait-il pas trop haut ? Ne risquait-il pas, au dernier moment, de manquer une marche et de s'effondrer sous les quolibets et les risées des imbéciles ? Déjà d'autres gazettes confirmaient l'information du *Journal.* Même en Espagne et en Angleterre, la presse annonçait l'étrange aventure de Jacques Lebaudy sur la terre africaine. A Londres, un député de la Chambre des communes rappelait au gouvernement que le cap Juby appartenait au Maroc et que le Royaume-Uni entretenait d'excellentes relations avec le sultan. Cette initiative d'un Français n'allait-elle pas provoquer un grave incident diplomatique ? De son côté, le *New York Herald* signalait que, d'après son correspondant à Las Palmas, on venait de placarder dans la ville une affiche ainsi conçue : « Empire du Sahara — Sur l'ordre de l'empereur, il sera procédé en mer, à trois milles dans l'est du port de La Luz, à l'adjudication de cent bâtiments de dix mille tonneaux destinés au service postal de la ligne de l'Empire du Sahara. Les bâtiments de toutes nationalités sont admis à l'adjudication[1]. » Ce dernier renseignement, fourni à Amicie par ses habituels collecteurs de nouvelles, acheva de l'angoisser. Certes, elle admettait que Jacques, comme elle-même, sacrifiât beaucoup d'argent à la poursuite des rêves qui lui tenaient à cœur, mais n'était-il pas en train de se ruiner ? Un particulier, fût-il très riche, pouvait-il rivaliser avec un État pour le financement d'entreprises aussi vastes et aussi compliquées ?

A présent, quelques journaux satiriques tournaient son aventure en dérision. Dans *Le Figaro*, le brillant chroniqueur Arman de Caillavet poussait l'ironie jusqu'à affirmer que Sa Majesté Jacques Ier entendait rendre la justice, tel Saint Louis, sous un chêne, mais que, comme le Sahara manquait d'arbres, celui-ci vaudrait son pesant d'or : « Vu le prix du transport, vous pourrez dire carrément que ce sera un chêne de deux cents louis. »

1. Cf. Georges Benoît-Guyot, *op. cit.*

Des caricaturistes dessinaient Jacques Lebaudy sous un aspect grotesque, avec cette légende sous le portrait : *Jacques Ier, empereur sucrier.* Paul Iribe, dans *Le Rire*, représentait un « sujet du monarque » lisant une feuille parisienne et soupirant : *Ah ! Sire…, ils sont sceptiques à Paris ! Ils prétendent que vous faites le Jacques et que* Frasquita *veut dire petite frasque*[1] *!* Des chansonniers effrontés raillaient les ambitions de Jacques Ier devant des salles pleines de spectateurs hilares. C'étaient d'ailleurs les mêmes Français qui applaudissaient les Lebaudy astronautes et se moquaient du Lebaudy explorateur et réformateur. Traditionnellement portés au sarcasme, ils étaient incapables de s'incliner devant la vraie grandeur. Sans doute eussent-ils été plus respectueux envers Jacques Lebaudy si, comme certains pionniers, il avait prétendu conquérir cette région désertique pour le compte de la France. Mais, autant Amicie eût été d'accord pour que son fils offrît un morceau du Sahara à sa patrie si celle-ci avait été gouvernée par un souverain

1. Dessin reproduit dans l'article de Louis Sapin, *op. cit.*

légitime, autant elle comprenait qu'il refusât de gratifier d'un pareil cadeau l'abominable République française. Il y avait des cas, pensait-elle, où la sagesse et la fierté devaient inciter un homme à garder pour soi toutes ses inventions, toutes ses découvertes, plutôt que de les galvauder en les confiant à des mains indignes. Détestant le fameux « esprit français » qui salissait tout, elle souhaitait maintenant que le fantasme africain de Jacques s'achevât en queue de poisson. Au fond, elle avait peur que, dans sa lutte contre un univers stupidement rationnel, il ne perdît à la fois ses millions et sa raison.

Au début du mois d'août, le réseau d'informateurs qu'elle avait constitué pour suivre de près les affaires du G.M.O. l'avertit que le Quai d'Orsay avait maintenant reçu le rapport du consul de France à Las Palmas, M. de Cabarrus, au sujet des marins de Jacques Lebaudy, retenus en otages par les Arabes au Sahara. Alors que le gouvernement français, craignant des répercussions internationales, cherchait un moyen de régler le problème sans l'ébruiter et sans recourir à la force, les hommes demeurés sur le *Frasquita* écrivaient à leurs familles, en France, et les suppliaient d'intervenir afin qu'on libérât leurs camarades prisonniers et qu'on les rapatriât eux-mêmes de toute urgence. Au milieu de tant d'incertitudes, une première bonne nouvelle soulagea l'esprit torturé d'Amicie : son fils, harcelé de tous côtés, avait enfin laissé partir les membres de l'équipage désireux de rentrer chez eux. Il n'avait conservé à bord, disait-on, que l'effectif nécessaire à la garde du *Frasquita* et du *Dahlia*. Amicie en conclut que la tragi-comédie avait trouvé un dénouement logique. Mais la logique n'était pas le fort de l'empereur Jacques Ier. Déjà il accusait, dans des proclamations virulentes, les gouvernements français et espagnol d'entraver sa mission civilisatrice au Sahara et sollicitait de la république du Libéria la licence de placer sous pavillon libérien le *Frasquita* et le *Dahlia*, destinés, en principe, à assurer le service postal entre Troja, « future capitale de l'empire du Sahara », et les autres ports de la côte. Cette autorisation lui ayant été accordée, il publia un manifeste solennel, aussitôt reproduit dans la presse parisienne. On y lisait que, si l'empereur du Sahara avait choisi de faire naviguer ses bateaux sous les deux pavillons saharien et libérien associés, c'était afin d'échapper aux poursuites malveillantes de la France et de l'Espagne qui ne savaient qu'inventer pour ruiner les espoirs de tout un peuple avide d'émancipation et de progrès. « La République de Libéria, affirmait Jacques Ier, a ainsi donné un bel exemple aux puissances soi-disant civilisées, mais qui, en réalité, ne font que dissimuler sous des dehors hypocrites leur égoïsme et leur jalousie. » A la lecture de cette accusation, dont elle approuvait l'esprit et le style « cravachant », Amicie craignit d'abord que la hautaine riposte de son fils n'entraînât une déclaration de guerre entre la République de M. Combes et l'Empire de Jacques Ier. Heureusement, quelques jours plus tard, *Le Journal*, toujours bien renseigné, annonçait que le célèbre reporter Ludovic Naudeau, mandaté par la direction du quotidien et pourvu de crédits importants, était parti pour Las Palmas, avec mission de rencontrer M. Jacques Lebaudy, d'armer une goélette supplémentaire et de participer à la recherche des marins français prisonniers des Maures. Mais que dirait Jacques de ce secours non officiel, qui, à coup sûr, dérangerait ses plans ? De nouveau, songeant à ce fils aux réactions imprévisibles, Amicie en était réduite à se demander d'où lui venaient sa brusquerie et son goût de l'extravagance. Pas une seconde elle ne se dit que, peut-être, il les tenait d'elle.

VIII

Depuis des semaines, Amicie n'ouvrait plus les journaux qu'avec appréhension. Chaque matin, ou presque, elle y découvrait quelque nouvelle inquiétante de son fils Jacques et des marins français prisonniers au Sahara. Et quand, par hasard, il n'y avait « rien » dans les gazettes, ses informateurs personnels, qui hantaient les antichambres des ministères, s'empressaient de l'avertir des derniers rebondissements de l'affaire Lebaudy. Elle apprit ainsi que M. Cloarec, député du Finistère, était intervenu auprès du gouvernement pour qu'une sanction fût prise à l'égard de Jacques Lebaudy, dont les agissements désordonnés mettaient en péril la vie d'honnêtes serviteurs de la patrie, et pour qu'on expédiât d'urgence sur la côte africaine un croiseur de la Marine nationale, avec mission de délivrer les captifs et de ramener à la raison le prétendu empereur du Sahara. Peu après, on sut que les ravisseurs avaient cédé leurs otages pour onze cents douros à Sidi Ibrahim, fils du caïd du cap Juby, et que les malheureux avaient été conduits, à marche forcée, au petit fort du cap, tenu par une garnison chérifienne. Le 20 avril 1903, Ludovic Naudeau, envoyé spécial du quotidien *Le Journal*, révélait qu'il avait rencontré Jacques Lebaudy à Las Palmas et que celui-ci, dont le comportement lui avait paru très « biscornu », avait exigé qu'il l'appelât « Sire » et lui parlât à la troisième personne. Le plus grave, à son avis, était que Sa Majesté, se drapant dans sa dignité impériale, avait refusé de partir avec lui à la recherche des infortunés matelots. Cette réticence hautaine de son fils devant toute proposition d'assistance venant d'en bas, Amicie l'avait prévue dès le début, mais elle n'en fut pas moins affligée. Par bonheur, obéissant aux injonctions du ministère de la Marine, le capitaine de vaisseau Jaurès, frère du fameux tribun socialiste et commandant du croiseur *Galilée*, de l'escadre de la Méditerranée, arrivait en vue du fort marocain. Lors d'une escale du navire à Magador, le vice-consul de France dans la ville avait confirmé au capitaine Jaurès que les cinq prisonniers étaient bel et bien détenus au cap Juby. Mais le sultan du Maroc avait déjà envoyé un *drakkas* (courrier spécial) chargé d'ordonner la libération immédiate des marins. Bien sûr, les autorités locales avaient palpé en échange un dédommagement substantiel. Les conditions d'une « remise » amiable étant ainsi réglées, le capitaine Jaurès fit appareiller et, le 25 août, le *Galilée* mouillait devant le cap Juby. On salua la terre de vingt et un coups de canon. La garnison répondit par une minable pétarade de sept coups très espacés, mais les portes de la citadelle restèrent closes. Pour clarifier la situation, Jaurès rendit visite au commandant de la place. Ce dernier l'informa qu'il n'avait toujours pas reçu l'indispensable *drakkas* et que, dans cette conjoncture, il lui était impossible de se séparer des captifs. Il lui refusa même de les voir et de leur parler. Tout au plus, sur l'insistance de Jaurès, autorisa-t-il l'interprète Allal Abdi, chancelier au consulat de France à Mogador, à apporter des vivres, des vêtements et quelques lettres personnelles aux marins. Jaurès en profita pour glisser dans le paquet, à leur intention, un message par lequel il leur conseillait de tenter une évasion sous la protection des canons français. En réponse, un billet de Le Picart, transmis par l'aimable Allal Abdi, lui dépeignit les difficultés de la tâche. « Nous ne pouvons sortir de notre tente sans être suivis partout », disait-il. Mais Jaurès réitéra sa suggestion et, pour encourager ses compatriotes, leur fit parvenir des pantalons blancs, facilement repérables à distance, et un résumé des consignes à suivre pour déjouer la surveillance de leurs geôliers. Selon ses directives, ils devraient revêtir les pantalons blancs distinctifs de leur condition et se rendre paisiblement à la plage comme pour se chauffer au soleil et se baigner. A un moment donné, ils verraient un canot se détacher du *Galilée* et partir, comme la veille, pour une petite pêche au large, vers les récifs. Pendant ce temps, une baleinière se dirigerait vers le fort sous prétexte de s'y ravitailler en poulpes. « Lorsque la baleinière reviendra du fort, tenez-vous prêts, recommandait Jaurès, mais ne bougez pas avant le premier coup de canon. Après m'être assuré moi-même que vous n'êtes suivis par aucun Marocain armé, je ferai ouvrir le feu et hisser, en même temps, le petit pavois [...]. Au premier coup de canon, vous vous rassemblerez sur le rivage, à mi-distance entre la maison du caïd et l'extrémité nord du banc des Roches noires. C'est là que la baleinière viendra vous prendre [...]. Du calme, du sang-froid. A ce soir ! Vous souperez avec nous à bord du *Galilée* et nous appareillerons vers la France. »

La récupération des otages se déroula parmi des éclatements d'obus, qui soulevaient çà et là des gerbes de sable. Il n'y eut de victimes ni du côté français, ni du côté marocain. Les marins de la baleinière aidèrent les prisonniers qui s'étaient avancés dans l'eau à se hisser sur l'embarcation et les derniers gardes chérifiens détalèrent à toutes jambes.

A Paris, personne n'était encore au courant de ce coup d'audace. Mais les enquêteurs personnels d'Amicie lui rapportaient d'étranges échos venus de l'étranger. Puis la rumeur s'amplifia et quelques journaux s'en emparèrent. Bientôt, *Le Figaro* révéla que, selon Hidoux, homme de confiance de Jacques

Lebaudy, Sa Majesté comptait se rendre en Suisse, à Glian-sur-Montreux, pour acheter du matériel agricole et embaucher des fonctionnaires, des enseignants, des cultivateurs afin d'accélérer le développement économique et intellectuel de son empire. De son côté, *Le Journal* publiait une information d'après laquelle M. Jacques Lebaudy, mécontent des difficultés que certains gouvernements mettaient à reconnaître sa souveraineté, allait porter l'affaire devant « les instances internationales ». « Il veut, écrivait le chroniqueur, avoir recours à la cour d'arbitrage de La Haye en ce qui concerne la légalité de la fondation de son empire. Il a fait savoir qu'il n'était pas accessible comme un simple particulier et que ceux qui se présentent, même les plus hauts personnages, doivent lui adresser par écrit une demande d'audience. » *Le Figaro*, lui, affirmait que l'empereur Jacques Ier allait créer un ordre : le « mérite du Sahara », dont les insignes porteraient « des lamelles entrecroisées sur fond de pourpre, avec appliques de petits rubis, trois pour la deuxième classe, cinq pour la première [1] ». Quant à Hidoux, il était heu-

1. Cf. Louis Sapin, *op. cit.*

reux d'annoncer que, le 1er janvier 1904, il y aurait à Troja (ville inexistante, mais déjà proclamée capitale) une liesse populaire avec feu d'artifice et qu'elle serait présidée par l'empereur en personne. Mieux, ce jour-là paraîtrait le journal officiel du nouvel État. Son titre : *Le Sahara.* Sa devise, qui serait aussi celle de l'Empire : *Liberté de conscience, Force, Travail, Industrie, Commerce, Agriculture. Labor improbus omnia vincit.* Cette jeune nation aurait comme représentant, au dire de Hidoux, un seul diplomate, lequel se fixerait à La Haye et serait « un sportsman bien connu et portant un grand nom de France ». Les journaux ne précisaient pas qui hériterait de ce poste aux responsabilités écrasantes, mais déjà des noms circulaient, accompagnés de plaisanteries qu'Amicie jugeait du plus mauvais goût.

Le 10 septembre 1903, le capitaine Jaurès regagnait Toulon avec, à bord du *Galilée*, les cinq marins rescapés. Une lettre de l'empereur Jacques Ier lui parvint, le jour même de son arrivée, dans laquelle Sa Majesté le remerciait de son intervention, tout en déplorant que le manque de volonté des gouvernements français, espagnol et portugais ait mis ses propres navires « dans l'impossibilité matérielle de châtier des indigènes rebelles et de mauvaise foi ». Sans se démonter, le capitaine Jaurès chiffra les frais de son expédition et présenta la note : vingt-cinq mille francs. Quant aux matelots, ils exigèrent des dommages et intérêts exorbitants. On parlait de cinquante mille francs par personne. L'opinion publique était de leur côté. Le 19 septembre, *L'Illustration*, de tendance pourtant fort modérée, imprimait un article critique à l'égard de l'empire du Sahara et de son souverain, Jacques Lebaudy, « qui avait eu l'ambition d'échanger sa casquette de yachtman contre la couronne fermée, surmontée de la sphère mondiale et du croissant substitué à la croix ». Toute la presse se félicitait de la délivrance des otages et condamnait le responsable de ce stupide imbroglio, qui aurait pu conduire à un massacre et qui se terminait en farce. Alors que *Le Petit Journal illustré* publiait un récit, avec images à l'appui, du calvaire des marins français « abandonnés par l'empereur du Sahara et libérés par leurs compatriotes du *Galilée* », Jacques Lebaudy s'obstinait dans ses fantasmes de millionnaire mégalomane, commandait un trône à un ébéniste du faubourg Saint-Antoine, envisageait la création d'un corps de méharistes spécialisés dans le va-et-vient entre les oasis, envoyait à Las Palmas un chargement de drapeaux de l'Empire saharien et, à en croire *Le Journal*, poussait la prévoyance jusqu'à acheter une guillotine, pour être sûr que les sentences capitales prononcées par ses tribunaux seraient exécutées selon les règles de l'art.

Enfin, le 1er janvier 1904, sortit des presses le premier numéro du quotidien *Le Sahara*, fondé par Jacques Lebaudy (et dont il n'y eut jamais de numéro 2). Des camelots à sa solde distribuèrent le journal gratuitement dans les rues. Quand cette feuille ambitieuse et revendicatrice tomba sous les yeux d'Amicie, elle eut un serrement de cœur, dû à un mélange de colère, de pitié et d'angoisse. Sous le titre *Le Sahara*, une indication laconique : « Direction, administration, Troja (Sahara). » L'éditorial, manifestement inspiré, sinon rédigé, par Jacques Lebaudy, insistait sur la légitimité de l'empire, sur la duplicité des marins du *Frasquita* et sur la conduite éhontée des gouvernements français, espagnol et portugais à l'égard de la noble entreprise de Sa Majesté. Dès le début, le ton était celui de la polémique : « Profondément dégoûté, écœuré par le spectacle qu'offre actuellement la France où les saintes traditions de liberté sont chaque jour impunément violées, où la décadence des mœurs s'étale sans que le peuple émasculé se révolte, où les intrigues de palais accablent un gouvernement sans conscience, Sa Majesté a pris la résolution de fonder une nouvelle patrie, une terre récemment appelée par lui à la civilisation. [...] La presse française, payée sur les fonds secrets, mène une abominable campagne contre l'empereur. »

Par moments, Amicie avait l'impression de lire une déclaration de son cher Paul Déroulède et cela lui remontait le moral. Mais certaines prises de position du porte-parole de Sa Majesté étaient plus alarmantes : « L'attitude hypocrite de l'Europe est cause que Sa Majesté soutiendra l'Islam contre la chrétienté. Avant longtemps, le pavillon du Sahara flottera de l'Atlantique à la mer Rouge et servira de ralliement à trente millions de musulmans, actuellement divisés et n'ayant pas conscience de leur force. » Ailleurs figurait une protestation des fidèles partisans de l'empereur contre les politicards intrigants qui cherchaient à l'exclure par avance de la conférence d'Algésiras, ce qui condamnerait cette réunion à l'impuissance, « car seul Jacques Ier peut empêcher le cataclysme mondial qui se prépare ». Un autre écho, d'une perfidie calculée, rappelait qu'en France des individus malintentionnés avaient l'habitude de dénoncer comme fou et de faire enfermer dans un asile, avec la complicité d'un médecin, tout porteur d'un grand rêve, pour peu qu'il eût « du répondant » ! L'allusion était claire : « Des parents, et certains cousins [d'un personnage en vue], allumés par l'espoir de s'approprier une très grosse fortune, auraient eu l'idée de faire passer pour fou le parent riche qui en dispose. L'intéressé a été averti à temps de ce machiavélique projet. » Une indiscrétion plus souriante révélait aux lecteurs que Sa Majesté offrait un prix de cinq mille francs pour l'organisation de courses sur son territoire et que les chevaux étrangers seraient admis à concourir s'ils s'inscrivaient dès maintenant à la « Société impériale des Courses », à Troja. Promesse d'autant plus hasardeuse qu'il n'y avait pas la moindre trace d'hippodrome sur les terres de Jacques Ier. Suivait un appel à des volontaires pour servir dans l'armée impériale : « Devenez sahariens, il y a là un empire naissant où, si vous voulez être soldat, ce sera de votre plein gré et contre une forte solde. » Dans d'autres rubriques, le rédacteur des informations sahariennes affirmait que les bureaux d'embauche de l'empire étaient submergés et que, vu le nombre de demandeurs d'emploi, les postulants à l'immigration devaient très vite se faire connaître. Mais, précisait le journaliste, Sa Majesté n'acceptera pas de Français dans ses services tant que Paris n'aura pas modifié son attitude malveillante à l'égard de l'empereur. D'autre part, la même plume indiquait que les examens pour l'admission à l'École religieuse du Sahara auraient lieu en 1906. « Les candidats, était-il spécifié dans l'article, devront être affranchis de toute superstition et avoir l'esprit préparé à l'initiation aux vérités éternelles. » Une adresse était indiquée pour centraliser les inscriptions : « Ambassade de l'empire du Sahara en Europe, à Bruxelles, Belgique. »

Ce n'était pas pour rien que Jacques Lebaudy avait choisi ce pays pour y établir son unique et hypothétique ambassade.

Après un bref séjour à Londres, il s'était installé à Bruxelles, au numéro 53 de l'avenue Louise, sous le nom de marquis de Raray, duc d'Arleuf. Malgré ce changement provisoire d'identité, il se considérait toujours comme l'empereur du Sahara, distribuant promotions et titres nobiliaires, transformant son secrétaire parisien Benoît en comte de Ludes, Hidoux en comte de Chigny et Baussy en comte de Baussy avec les attributions de ministre impérial[1]. Quant à sa maîtresse, la discrète Augustine Dellière, l'ayant convaincue de retourner vivre dans le pays de son enfance, à Lapalud, près de Montélimar, il lui avait déclaré que, vu sa situation d'exceptionnelle grandeur, il ne pouvait se permettre d'avoir à ses côtés une concubine. Cependant, il l'assurait que, pour la remercier de ses loyaux services, il l'épouserait et la ferait couronner impératrice dès qu'il aurait regagné Troja et réglé ses différends avec les puissances européennes encore hostiles à sa politique novatrice, y compris avec la France, cette marâtre.

Tout Don Quichotte a besoin d'une Dul-

1. Cf. Louis Sapin, *op. cit.*

cinée. Mais, si celle de Don Quichotte ne participait en rien à sa folle aventure, celle de Jacques Ier y était intimement mêlée. La première était une grosse paysanne que l'hidalgo espagnol avait idéalisée au point d'en faire la « dame de ses pensées » et la dédicataire de ses prétendus exploits ; la seconde offrait à son amant les satisfactions charnelles dont il avait besoin sans jamais le contredire. En attendant leur apothéose à tous deux, il passait la voir plusieurs fois par semaine à Lapalud, la comblait de caresses et de promesses, et lui décrivait les fastes de son prochain couronnement comme impératrice dans la capitale pavoisée aux couleurs sahariennes. Elle l'écoutait, subjuguée par son imagination ou par sa générosité, ce qui, estimait-elle, revenait au même. Pourtant, dominant sa timidité, elle osa, un jour qu'il lui rendait visite, lui avouer, rosissante et les yeux baissés :

« — Jacques, je crois que je vais être mère ! »

Bondissant de joie et la couvrant de baisers, il eut ce cri de joie égoïste :

« — Un héritier ! Je vais avoir un héritier ! La dynastie saharienne est fondée [1]. »

1. *Ibid.*

Il lui recommanda de ménager sa santé, de se reposer beaucoup, afin que l'enfant impérial naquît dans les meilleures conditions. Mais, alors qu'il l'exhortait à la prudence et à la patience, lui-même perdait toute retenue. Fouetté par l'allégresse, il redoubla d'arrogance envers les gouvernements européens, ordonna à Baussy de vendre tous les biens meubles et immeubles qu'il possédait en France, joua à la Bourse avec l'audace d'un homme qui se sent protégé par l'étoile des élus de Dieu. Quelques mois auparavant, il avait déclaré renoncer à la nationalité française. A son étonnement attristé, personne, en France, ne parut s'émouvoir de cette décision. Augustine Dellière crut même devoir l'en féliciter. Pour elle, tout ce qu'il disait était parole d'évangile. Le journaliste Fernand Hauser ayant été reçu par la jeune femme, à Lapalud, racontera qu'elle y tenait régulièrement sa cour dans l'attente de la naissance de l'héritier providentiel. « L'impératrice se promenait dans les rues de la petite ville en grand manteau à traîne, écrira-t-il. C'était touchant ! Elle ne se laissait parler qu'à la troisième personne par les Paludois ébahis et charmés. » Quand elle se sentit sur le point d'accoucher, elle se rendit à la clinique des Eaux-Vives, près de Genève. A sa profonde déception, le 21 mai 1905, ce fut une fille qu'elle mit au monde. Elle la prénomma Jacqueline, en l'honneur de son père Jacques, et le supplia de lui pardonner cette « erreur de la nature ». Mais il avait échafaudé tant d'espoirs sur un rejeton mâle qu'il ne put dominer son dépit. Il comptait sur un « Aiglon » et on lui présentait une « Aiglonne » ! Les premiers vagissements de cette héritière indésirable prenaient dans son esprit la signification d'un outrage. Trop impulsif pour continuer à fréquenter une femme qui lui avait joué ce « mauvais tour », il résolut de la répudier, comme il avait licencié jadis, sans indemnité, les marins du *Frasquita.* Il chargea donc Hidoux, comte de Chigny, de remettre à sa concubine une lettre laconique l'avertissant qu'elle était congédiée et qu'elle ne devait plus chercher à le revoir. Elle n'avait aucune raison de se plaindre, puisqu'il l'avait comblée de bijoux à l'époque où il se figurait qu'elle lui assurerait une descendance mâle. Renvoyée comme une domestique indélicate, Augustine quitta la clinique des Eaux-Vives et retourna, l'épaule basse, à Lapalud, avec son bébé bâtard dans un couffin. Prévoyante, elle avait déclaré à l'état civil sa fille Jacqueline : « née de père inconnu ».

Heureusement, l'abondance des événements était telle en France, cette année-là, que les journaux parisiens s'intéressaient de moins en moins aux faits et gestes de l'empereur du Sahara, qui continuait à vitupérer le monde entier depuis Bruxelles. Tandis que son aventure sombrait dans la réprobation et les rires, son frère Robert et ses cousins Pierre et Paul lui ravissaient la vedette auprès des chroniqueurs parisiens. On sautait avec amusement d'un Lebaudy fou à trois Lebaudy admirables. Encouragés par le succès de leur dirigeable, le *Jaune n° 3*, les associés en faisaient don à l'armée et celle-ci, en récompense de leur civisme, leur passait commande d'un *Jaune n° 4* et d'un nouveau modèle, la *Patrie*, dont l'administration militaire fournissait le moteur. Construit dans les usines Panhard-Levassor, ce moteur développait une puissance de cinquante chevaux. De quoi faire bisquer tous les concurrents aéronautes et jusqu'aux partisans de l'aviation qui, depuis les essais intéressants de l'aéroplane de Santos-Dumont à Bagatelle, redressaient la tête. Derechef, le nom de Lebaudy courait de bouche en bouche. Il y avait toujours quelqu'un de la famille pour aiguiser la curiosité du public. A croire que la France avait besoin des Lebaudy comme d'un poil à gratter pour se tenir constamment éveillée. Il y avait d'ailleurs, dès 1904, une feuille imprimée, sorte de « tiré à part », mise en vente dans tous les kiosques et intitulée : *La Conquête du Sahara par Jacques Lebaudy*. Les trois frères, Jacques, Robert et Max (ce dernier décédé depuis neuf ans), étaient représentés là, en caricature, avec, sous leurs portraits, cette légende humoristique : *Max s'occupant de courses de taureaux à Paris, Robert faisant le « Jaune », Jacques faisant l'empereur.*

Amicie, qui avait préféré de tout temps l'anonymat et le silence au tintamarre de la publicité, souffrait de ces constantes indiscrétions. Elle déplorait que le nom de Lebaudy revînt si souvent dans les gazettes, même en dehors de toute critique. Et cependant elle n'était pas insensible, dans certains cas, à l'approbation de ses concitoyens. Ainsi, il lui plaisait que les réalisations du

G.M.O. fussent considérées comme une réussite sociale, cela à condition que son rôle ne fût jamais précisé dans les rapports du conseil. Elle se laissait même aller, de temps à autre, à publier un petit ouvrage littéraire sans prétention, mais toujours sous le masque d'un pseudonyme. Nul ne savait que le véritable auteur de *Merry Christmas* ou de *Nos humbles braves gens* n'était pas Mme Guillaume Dall, comme il était dit sur la couverture, mais Mme Jules Lebaudy, la veuve de l'affreux financier qui avait ruiné tant de modestes épargnants au moment du krach de l'Union générale, la mère aussi d'un des pionniers de l'aérostation, celle également d'une femme du meilleur monde et de l'extravagant empereur du Sahara. Comme d'autres tiraient vanité de leur célébrité partout proclamée, elle s'enorgueillissait du mystère dont elle avait su entourer ses initiatives de bienfaisance populaire et de haute politique. D'ailleurs, tout en s'habillant comme la dernière des servantes et en refusant de donner chez elle la moindre réception, elle ne dédaignait pas de fréquenter les gens de lettres les plus cotés. Ainsi avait-elle une grande amitié pour la fameuse Gyp, auprès de qui elle allait glaner des ragots parlementaires comme on va au marché pour garnir son cabas. Si elle s'était plus ou moins brouillée avec Barrès, dont elle approuvait le nationalisme mais déplorait les fréquentations « compromettantes », elle admirait sans réserve la pensée de Charles Maurras et s'inclinait devant le talent de Léon Daudet, dont les articles dans *L'Action française*, récemment fondée, nourrissaient son appétit de revanche, de justice et d'honneur. De plus en plus, elle était encline à ne voir dans les événements de sa vie privée que la conséquence d'un état d'esprit dû à la malveillance et à l'impéritie gouvernementales.

En apprenant, le 29 novembre 1907, qu'un autre dirigeable, la *République*, des trois Lebaudy avait quitté, nuitamment et sans personne à bord, son port d'attache de Verdun pour dériver au gré des vents et s'abîmer au large de l'Irlande, elle n'avait pas tardé à soupçonner une manœuvre destinée à déconsidérer tous les patriotes et, au premier chef, la famille Lebaudy. Son nouvel ami Delahaye, collaborateur du journal extrémiste de Cassagnac *L'Aurore*, abonda dans son sens, prétendant même que, d'après des renseignements irréfutables, des soldats antimilitaristes, chargés de maintenir le dirigeable à terre, avaient volontairement lâché les amarres. Quant au capitaine qui les commandait, il avait abandonné son poste et était allé prendre du bon temps avec sa maîtresse. Une telle catastrophe témoignait assez de la désorganisation des services publics sous un ministère socialiste. En tête à tête devant une tasse de thé, Amicie et Delahaye rivalisaient d'injures à l'égard des « clowns tragiques » qui rabaissaient la France. Quand elle fut informée par la suite que, en dépit de l'accident de la *République*, des dirigeables Lebaudy avaient été acquis par la Russie, par l'Autriche et par l'Angleterre, elle décréta que, décidément, seules les monarchies étaient capables de distinguer les vrais talents. Cette pensée l'amenait à regretter que l'empire du Sahara inventé par son fils Jacques eût sombré au milieu des rires et des haussements d'épaules ! Même quand il délirait, elle ne pouvait lui donner tout à fait tort de désirer la lune. Cependant, elle devait convenir que l'année 1906, si fertile en événements pour la famille Lebaudy, lui avait apporté, à l'insu de ses fils, une bonne nouvelle. En effet, la société civile du G.M.O. qu'elle subventionnait, et dont le conseil d'administration, dominé par son mandataire et homme lige Eugène Hatton, appliquait les règles philanthropiques édictées par elle, venait de remporter une victoire. Au terme de longues démarches, l'association était enfin reconnue d'utilité publique, ce qui lui permettait de bénéficier de dégrèvements d'impôts. Cette mesure de salubrité administrative n'intéressant pas les foules n'eut que peu d'échos dans la presse et Amicie se réjouit de cette discrétion qui répondait à son goût personnel de la pénombre. Sans doute songeait-elle parfois que, si Jacques s'était contenté d'élever des gourbis dans le désert pour les Arabes nécessiteux au lieu de se proclamer empereur du Sahara et de faire le matamore au nez et à la barbe des autres nations, il eût été fêté aujourd'hui comme un bienfaiteur de l'humanité.

IX

De tout temps, Amicie avait été sensible au prestige de la particule nobiliaire et intraitable à l'égard de ceux qui s'en prévalaient indûment. Sans doute fut-ce parce qu'elle avait souffert silencieusement dans son orgueil de voir les Français se moquer de son fils Jacques et lui refuser le titre d'empereur du Sahara qu'elle éprouva subitement le besoin de vérifier si son gendre, qu'elle détestait en sourdine, avait le droit de se faire appeler non seulement comte de Fels, mais aussi, depuis peu, prince de Heffingen. Ce fut donc plus par curiosité généalogique que par un tardif réveil de l'esprit de clan qu'elle s'intéressa de près à cette famille, dont elle s'était si peu souciée pendant des dizaines d'années. Les quelques lettres conventionnelles qu'elle recevait de sa fille Jeanne et de ses petits-enfants, pour sa fête et pour le Nouvel An, suffisaient à lui donner la notion d'une saine entente tribale. En somme, elle avait un sens trop impérieux de ses devoirs envers l'humanité pour borner sa sollicitude à un carré de proches qui, peut-être, ne la méritaient pas. L'instinct philanthropique l'emportait, dans son cœur, sur l'instinct maternel. Même Dieu n'aurait pu, estimait-elle, lui reprocher un choix inspiré uniquement par la grandeur d'âme.

Au mois de mai 1908, l'occasion lui fut donnée, lors d'un de ces goûters mondains à Bagatelle auxquels elle se rendait parfois à contrecœur, toujours vêtue en Cendrillon quinquagénaire, de rencontrer sa fille Jeanne, comtesse de Fels et princesse de Heffingen, ses deux petits-fils, André et Hubert, et ses deux petites-filles, Anne-Marie et Edmée. Elle trouva Jeanne apparemment heureuse, mais un peu trop maniérée à son goût, et ses quatre petits-enfants bien élevés, intelligents et manifestement obsédés par l'importance de leurs origines aristocratiques. Pendant toute la durée du papotage, à la table des

Heffingen, nul ne fit allusion à l'empereur du Sahara, dont les excentricités risquaient de ternir le blason familial. Amicie apprécia en connaisseuse la délicatesse de cette réserve. Aussi n'eut-elle pas le courage de refuser à sa fille d'assister à la distribution des prix du lycée Janson-de-Sailly, au cours de laquelle elle verrait son petit-fils André, récemment reçu à son second baccalauréat, descendre de l'estrade sous les bravos. Pouvait-elle nier qu'elle-même, tout au long de sa vie, avait voulu décrocher le « prix d'excellence », à condition de n'être pas obligée de gravir des marches, au vu et au su de tout le monde, pour recevoir sa récompense ? Après tout, elle était moralement tenue par sa situation d'aïeule de participer au succès d'un bon élève, dont la conduite et l'application rachetaient les bizarreries de tant d'autres membres de la caste Lebaudy. Cependant, même pour cette fête officielle, elle ne jugea pas nécessaire de changer de toilette et se présenta au grand amphithéâtre du Trocadéro, où avait lieu la remise des lauriers, habillée en ménagère besogneuse. Nul ne critiqua sa mise, mais elle lut dans le regard de Jeanne une réprobation attristée. Elle n'y attacha aucune importance, surprise par la présence, à côté de sa fille, de son gendre, le comte de Fels, prince de Heffingen, qu'elle n'avait pas revu depuis leur échange de propos acerbes, quelque seize ans auparavant. Cette longue bouderie s'acheva, au milieu du public des parents d'élèves, par un baisemain protocolaire et quatre mots de plate courtoisie. La conversation fut d'ailleurs vite interrompue par les applaudissements qui saluaient chaque nom cité, de classe en classe, par le professeur lisant le palmarès. Enfin, ce fut le tour d'André et il descendit de l'estrade les bras chargés de livres et l'œil victorieux. A l'issue de la cérémonie, le prince de Heffingen informa sa belle-mère d'un voyage qu'il avait l'intention de faire, avec ses fils, au duché du Luxembourg, qui était, disait-il, « le berceau de la lignée des Heffingen ». Cette observation aiguisa la méfiance d'Amicie. Elle se rappelait que son gendre prétendait descendre d'une famille noble du Danemark. Et le voici qui soudain optait pour le Luxembourg. Où était la vérité ? Ne s'agissait-il pas d'une supercherie, comparable à celle que certains esprits pointilleux reprochaient à l'empereur du Sahara ?

Devant ce possible tour d'illusionniste, Amicie éprouva l'envie de prendre sa revanche en démasquant le faussaire. Sans rien dire à sa fille, elle regagna le « ballon captif » de la rue d'Amsterdam en se promettant une bonne pinte de rire lors de la chasse aux révélations. Dès le lendemain, elle chargea un de ses collecteurs de renseignements de fouiller les archives, en France, au Danemark et au Luxembourg, afin de savoir si son gendre ne s'était pas affublé d'un titre plus fallacieux encore que celui de Jacques Ier.

Après des mois de recherches, elle apprit que, sous le règne de Philippe II, souverain des Pays-Bas avant de devenir roi d'Espagne, la terre de Heffingen avait été érigée en seigneurie. De ce fait, on pouvait dire que, sans être des nobles de vieille souche, les Heffingen actuels avaient le droit de s'appeler ainsi. Amicie commença par estimer que les généalogistes n'étaient pas allés au fond de l'affaire, puis elle renonça à ses doutes et à ses préventions par égard pour ses petits-enfants qui l'avaient littéralement subjuguée. Les deux garçons préparaient leurs examens de licence ès lettres. L'aîné, André, se passionnait déjà pour la politique et envisageait le plus sérieusement du monde d'embrasser une carrière parlementaire ; il proclamait même, à l'intense satisfaction d'Amicie, qu'il aimerait être ministre à condition que la France se débarrassât de sa stupide défroque républicaine. Son frère cadet, Hubert, se voyait, lui, dans la peau d'un diplomate introduit auprès des plus grandes cours d'Europe et participant à des congrès où se jouait le sort de l'univers. Les deux filles, bien que trop jeunes encore pour avoir leur mot à dire dans le concert des illusions, rêvaient d'un mariage princier et leur père les encourageait à viser le plus haut possible dans l'échelle des noms du *Gotha*. Du reste, il était devenu, entre-temps, un familier du duc Philippe d'Orléans, lequel l'invitait parfois avec sa « charmante épouse » à bord de son yacht pour des « réceptions royales ». C'est ainsi qu'ils eurent l'occasion de déjeuner avec le Kaiser sur le bateau du prétendant au trône de France. Quand Jeanne raconta fièrement ces agapes nautiques à sa mère, Amicie oublia subitement l'honneur qu'il y avait à partager le repas d'une tête couronnée, fût-elle allemande. Son sang revanchard ne fit qu'un tour et, parlant de son gendre, elle s'écria : « Sa conduite me dégoûte [1] ! »

Jeanne se garda bien de répéter cette exclamation à son mari et, le 26 juin, pour n'être pas en reste de mondanités avec la crème de la société parisienne, les Heffingen donnèrent dans les jardins de leur hôtel particulier un « raout » époustouflant où quelques roturiers furent admis, ce qui attestait l'ouverture d'esprit du maître de maison. Évoluant de groupe en groupe, le prince et la princesse de Heffingen multipliaient les sourires et les propos aimables. Leur empressement à gagner les grâces des plus gros bonnets de l'aristocratie agaçait Amicie, qui, bien que furieusement antirépublicaine, se vantait maintenant d'être patriote et monarchiste sans avoir une goutte de sang bleu dans les veines. Ce soir-là, elle grommela à l'oreille d'un de ses confidents : « Voilà à quoi mon gendre oblige ma fille : à s'applatir devant un monde qui n'est pas le leur et qui ne le sera jamais [2] ! » Elle poussait même la critique jusqu'à reprocher au couple de posséder un

1. Cf. Louis Sapin, *op.cit.*
2. *Ibid.*

hôtel particulier à Paris, d'avoir acquis, en 1893, le superbe château de Voisins, non loin de Rambouillet, et d'avoir fait construire, sur les ruines de l'ancienne demeure, un élégant et vaste édifice en pierre meulière, dans le goût du XVIIIe siècle, selon les plans de l'architecte René Sergent. Le parc à la française, conçu à l'instigation d'Edmond de Fels, était d'une grâce et d'un équilibre que n'eût pas désavoué Le Nôtre. Ce refuge de luxe permettait au comte, fervent amateur de vénerie, de courir la région avec le fameux rallye Bonnelles, mené par la duchesse d'Uzès. Dès 1906, les travaux d'installation du château étaient terminés. Selon la légende familiale, leur coût dépassait les quatre millions de francs or et avait été payé par les intérêts de la dot de la comtesse de Fels, née Jeanne Lebaudy. Tenue au courant de ces dépenses de prestige, Amicie en nourrissait son ressentiment. C'était là, affirmait-elle, de l'argent mal employé, car il ne servait qu'à épater les nigauds, alors que la vraie noblesse n'était pas dans les apparences, mais dans la mémoire et dans le sang. A son avis, les signes extérieurs de la richesse étaient même incompatibles avec la vocation des grandes familles françaises. Plus que jamais hostile à une République « pourrie, laïque, parlementaire et vendue aux juifs », elle mettait tout son espoir dans une aristocratie aux mains propres et à la bourse plate. En 1909, dans son roman *Les Heureux de la Terre*, elle avait opposé le comte Bruno des Aiglonnières et son épouse Armande des Vautours, tous deux pauvres et nobles, à leur cousin Ebly, riche juif parvenu et corrompu : « Vous nous jugez sur les contaminés que le prurit du luxe démange et d'après les ambitieux des partis battus qui cherchent à se reconstituer une situation au moyen de la philanthropie », disait Bruno avec une impitoyable lucidité.

La vraie France était donc désormais, pour Amicie, celle qui, sans renier les valeurs ancestrales, acceptait de tenir compte, tant soit peu, des exigences de l'époque. Cet engouement pour le modernisme démocratique lui était venu lors d'une visite aux États-Unis, en 1908. Tout en déplorant le gigantisme et le tohu-bohu de New York, elle avait été séduite par la simplicité et la tolérance religieuse de ce pays, où l'on admettait que chaque étranger eût le droit d'exprimer son opinion à condition de respecter l'ordre public. Un autre voyage qu'elle fit la même année, en Corse, lui permit de se recueillir dans la maison natale de Bonaparte, en songeant qu'il n'y avait parfois, entre deux empereurs, que la différence d'un hasard heureux. De retour sur le continent, elle voulut poursuivre son enquête parmi les milieux populaires en allant rôder autour de l'arsenal de Toulon. Or, à la sortie des ateliers, des ouvriers mal embouchés la prirent à partie. Leurs rires, leurs quolibets grossiers l'offusquèrent. A son avis, ni la pauvreté ni le manque de culture n'autorisaient l'insolence. «J'ai rarement vu, disait-elle, autant de têtes d'assassins. Chacun de ces visages portait le signe de la haine irréductible vouée aux riches. Tous ces gredins, fonctionnaires de l'État, doivent être prêts pour le Grand Soir [1]. »

Cherchant à comprendre les vrais motifs de la haine des malchanceux pour les nantis, Amicie poussa le souci de l'information jusqu'à entrer en relation avec un authentique anarchiste russe, émule de Bakounine. Trompé par son aspect de pauvresse et allé-

1. Cf. Louis Sapin, *op.cit.*

ché par quelques secours pécuniaires qu'elle consentit à lui verser pour appuyer la cause des « désespérés », il accepta de l'initier aux projets politiques des négateurs de toute autorité, de toute police et de tout gouvernement constitué. Nullement convaincue par les théories du nivellement intégral, elle n'en garda pas moins l'impression que le socialisme, avec son accumulation de tolérances et de justifications humanitaires, préparait la faillite de l'intelligence, de la morale et de la dignité individuelles. Sans doute fut-ce pour conjurer cette hostilité à la moindre discipline qu'en regagnant Paris elle multiplia les initiatives charitables. Non contente de financer la construction de nouveaux immeubles accessibles aux revenus modestes, elle consacrait maintenant des sommes importantes à la recherche médicale. Ainsi soutenait-elle à bout de bras la fondation de l'Institut Pasteur. N'ayant guère connu le savant, qui était mort en 1895, elle tenait à manifester de cette manière sa gratitude envers un Français qui, grâce à son génie, avait su corriger à l'étranger l'image de sa patrie si souvent défigurée par des politiciens démagogues. Mue par un respect identique, elle s'était liée d'amitié avec René Vallery-Radot, qui avait épousé la fille de Pasteur et dont les ouvrages sur son beau-père étaient fort estimables. Ce fut dans le même souci de patriotisme anonyme qu'elle subventionna largement l'expédition de Jean Charcot au pôle Sud. Elle eût aimé que ses petits-fils fussent aussi dignes d'admiration que l'inventeur du vaccin contre la rage ou que l'explorateur des régions antarctiques. Certes, elle avait conscience, en formant ce vœu, de viser trop haut, mais n'était-ce pas le péché mignon de tous les Lebaudy ? En vérité, sans être les phénix de la jeune génération, André et Hubert de Heffingen avaient — elle en était sûre ! — les vertus qu'on pouvait attendre de grands cœurs.

En juillet 1912, André et Hubert de Heffingen furent reçus licenciés ès lettres. Mais, au lieu de continuer ses études, Hubert, qui n'avait encore que dix-huit ans, voulut devancer l'appel et s'engagea dans le régiment des hussards de Senlis, ce qu'Amicie interpréta comme un élan de civisme en tout point conforme aux principes virils qu'elle eût voulu inculquer à tous les Français. André, lui, affecté au régiment des dragons de Versailles, suivit les cours d'élève officier, mais fit une chute de cheval et se cassa la jambe. D'abord désolée de cet accident, Amicie se surprit tout à coup à le juger bénéfique. En effet, à mesure que les menaces de guerre se précisaient en Europe, elle oubliait son chauvinisme théorique et songeait que, si son petit-fils était réformé, il ne serait pas envoyé au combat et échapperait ainsi à la tuerie qui se préparait des deux côtés de la frontière.

Avec l'élection de Raymond Poincaré à la présidence de la République, elle eut l'impression, pour la première fois, que le patriotisme pouvait fleurir aussi bien à gauche qu'à droite et qu'il y avait en France quelque chose de plus profond, de plus enraciné que les idées politiques : c'était, pour chaque citoyen, le sentiment d'appartenir à la même terre, au même passé, à la même langue que son plus ardent contradicteur. Peu après, en apprenant qu'André écrivait dans l'hebdomadaire *L'Opinion* du très modéré Paul Doumer et que son frère et lui se détachaient des orléanistes et des bonapartistes pour sympathiser avec des républicains, elle n'eut pas le courage de critiquer leur changement de cap. L'idée d'un ralliement à la cause démocratique, qui l'avait tant indignée lorsque son frère Jacques Piou avait tenté de l'y inciter, ne la révoltait plus. Elle en arrivait à admettre que la royauté avait fait son temps, qu'il était vain de chercher à la ressusciter de ses cendres et qu'en revanche rien n'interdisait de s'inspirer de l'esprit des traditions monarchiques pour les adapter au régime parlementaire actuel. Après avoir rué dans les brancards, elle découvrait le plaisir de céder parfois à l'impulsion du grand nombre et de regarder bravement vers l'avenir au lieu de s'obnubiler sur les avantages du passé. Et puis, cette attitude hardie la rapprochait sinon de son gendre, pour lequel elle avait toujours « l'attitude de la mère qui a mal marié sa fille », du moins de ses petits-fils, qu'elle trouvait de plus en plus méritants. André, dont elle admirait l'intelligence et l'éloquence, lui semblait destiné à une glorieuse carrière d'homme politique et Hubert, qui s'était présenté au concours des Affaires étrangères, serait sans aucun doute nommé rapidement attaché d'ambassade. Certes, s'il décrochait ce poste, il serait aux ordres d'un gouvernement socialiste. Mais c'était, pour le moment, un moindre mal. Qui sait si, dans ses délicates fonctions, il ne parviendrait pas à faire entendre à ses supérieurs la voix de la raison ? Le concours devait avoir lieu en juillet 1914. Pour mieux le préparer, Hubert avait quitté le domicile de ses parents et s'était transporté dans un petit appartement du quartier des Ternes. Fier de sa nouvelle installation, il invita sa grand-mère à lui rendre visite dans son « perchoir ». En découvrant la garçonnière du cadet de ses petits-fils, dont le loyer était de trois mille francs par an, elle l'estima trop luxueusement logé pour un jeune homme de vingt-deux ans sans situation établie. N'eût-il pas été plus à sa place dans une de ses maisons du G.M.O. ? Elle nota au passage que le sol de cet endroit prétendument consacré à l'étude était recouvert d'un linoléum noir et blanc, à damiers, ce qui lui fit supposer aussitôt qu'on y donnait des soirées dansantes. Elle imaginait Hubert glissant au son d'un tango avec une de ces « poules » familières des cabarets, mais elle n'eut pas le courage de lui reprocher ses éventuels écarts de conduite. Le souvenir de son plus jeune fils si tôt disparu la retenait d'être sévère pour les excentricités des adolescents de 1914. Elle trouvait Hubert gracieux et distingué, avec ses cheveux bruns rejetés en arrière et sa petite moustache qu'il frisait « à l'ancienne », alors que les garçons de sa génération préféraient se raser complètement. Plus elle le voyait et plus il lui rappelait ce pauvre Max, qu'elle avait si mal jugé et dont elle avait tant pleuré la mort prématurée. Même enthousiasme spontané, même inconscience devant les vrais périls et les vrais enjeux d'une existence d'homme. Mais Hubert était plus raisonnable que Max. Ce n'est pas lui qu'Amicie eût songé à mettre en tutelle comme un « irresponsable ». Son autre petit-fils, André, était d'une étoffe encore plus solide. Un fonceur au front buté. Entre ces deux jeunes gens, Amicie prenait, à son insu, des leçons d'humanité, de modernité et même de tendresse. L'attention indulgente dont elle n'avait pas su gratifier ses enfants, elle la prodiguait avec bonheur à ses petits-enfants, découverts sur le tard. Elle espérait vivre assez longtemps pour voir André diriger un gouvernement à tendance mi-conservatrice, mi-libérale, et Hubert défendre les intérêts de la France dans quelque grande capitale européenne.

Ces rêves la dédommageaient des soucis

que lui causaient invariablement ses deux fils, Jacques, le faux empereur, et Robert, le sucrier aéronaute. Elle ne les voyait plus, ni l'un ni l'autre, depuis des années. Cependant, vers la fin du mois de septembre 1909, ayant pris l'omnibus qui assurait le trajet entre la place du Trocadéro et la gare de l'Est, elle s'était étonnée du salut que lui adressait un monsieur inconnu. Il était monté place d'Iéna et la dévisageait avec un demi-sourire de connivence. Tout à coup, il se pencha vers elle et grommela : « Ça va toujours ? » Au son de la voix et à l'expression du regard, elle reconnut son fils Robert. Stupéfaite, elle s'enquit pourquoi il empruntait l'omnibus alors qu'il possédait, disait-on, plusieurs voitures automobiles. Il lui répondit qu'il préférait les transports en commun parce que tous les autres modes de locomotion exposaient les usagers à de graves accidents. Cette remarque lui parut absurde de la part d'un pionnier de l'aérostation, défenseur attitré du progrès technique dans tous les domaines. Comme pour achever de conquérir son estime, il lui avoua que, même pour se rendre dans sa propriété de Bougival, il prenait le petit tramway de la porte

Maillot. Puis il lui apprit qu'il menait une existence très active, qu'il avait « des intérêts » un peu partout, qu'il était toujours célibataire et qu'il courait constamment de Paris à Vienne et de Vienne à Londres pour ses affaires. Manifestement, il s'occupait moins d'aérostation et se consacrait plutôt à des opérations financières selon la tradition familiale. D'abord amusée par ses confidences, Amicie craignit qu'il ne voulût la raccompagner chez elle pour continuer l'entretien. Elle se demanda par quel moyen elle pourrait éviter de lui révéler son adresse, car elle tenait essentiellement à conserver le mystère autour de son domicile, le sacro-saint « ballon captif ». Mais, quand l'omnibus s'arrêta à la gare Saint-Lazare, Robert se leva d'un bond, lança un joyeux *Good bye!* à sa mère abasourdie et disparut parmi les voyageurs qui descendaient à la même station. En racontant à des intimes cette rencontre dans l'omnibus avec son fils Robert, elle disait pour conclure : « Je l'ai trouvé grossi et enlaidi[1]. » Ce com-

1. Les circonstances de cette rencontre ont été rapportées par Marcel Barrière, *op. cit.*

mentaire équivalait, de sa part, à une condamnation sans appel.

De temps à autre, les journaux continuaient à l'informer des exploits de tel ou tel dirigeable construit par les frères Lebaudy. Ils étaient devenus célèbres, non seulement en France mais aussi en Angleterre, en Russie, en Allemagne, grâce à leurs baudruches itinérantes. Quant à Jacques, après s'être beaucoup agité en vain, avoir dilapidé des millions prélevés sur les revenus de la raffinerie familiale et multiplié les coups de Bourse ainsi que les procès, il s'était fait qualifier de « personnage indésirable » par la plupart des gouvernements européens. Tenu à l'œil par les autorités françaises, il s'était subitement avisé de modifier l'organisation de sa vie privée et avait envoyé Hidoux quérir Augustine Dellière à Lapalud où elle habitait maintenant auprès de sa mère, avec la petite Jacqueline. La vue de ce messager inespéré transporta de joie la jeune femme et elle se hâta de boucler ses valises. Le mirage d'un avenir impérial, longtemps compromis, rayonnait à nouveau dans sa tête. Devant sa mère, inquiète de la voir passer si rapidement de la désolation à l'euphorie, elle prit la fillette dans ses bras et monta, avec une aisance princière, dans l'automobile dont l'émissaire de Sa Majesté lui ouvrait la portière. Le voyage fut bref et silencieux. Une canonnière attendait les passagers au crépuscule, dans une calanque proche de Toulon. Elle les transporta de nuit jusqu'au *Frasquita.* Mais Jacques n'était pas à bord. Hidoux affirma que l'empereur se trouvait à Las Palmas, où il guettait impatiemment leur arrivée. En débarquant dans la capitale de la Grande Canarie, Augustine crut tout de bon que la chance était revenue puisque Jacques était effectivement au rendez-vous. Certes, en parcourant la ville, elle s'étonnait du peu d'intérêt que les habitants marquaient à la présence parmi eux de Sa Majesté. Elle mettait cette indifférence sur le compte de leur mépris des véritables enjeux de la politique internationale. Ce qui l'inquiétait davantage, c'était la nervosité de Jacques, qui s'accentuait à chaque contrariété. Il ne supportait pas que le sort du Maroc eût été réglé par la voie diplomatique entre la France et l'Espagne, sans qu'on eût jugé utile de le consulter. Il ne parlait plus ni de faire couronner sa maîtresse, ni même de l'épouser.

Et, s'il jetait de temps à autre un regard distrait sur sa fille, il ne songeait toujours pas à la reconnaître.

Or, voici qu'un des rescapés du cap Juby mourait après une longue maladie. La famille du disparu réclama des dédommagements, en alléguant que la santé du marin avait été compromise par une captivité de deux mois dont Jacques Lebaudy était seul responsable. En même temps, le gouvernement français, passant à l'attaque, poursuivait l'ex-empereur du Sahara comme déserteur, parce qu'il n'avait pas jugé utile de déférer à une convocation pour une période militaire en tant que réserviste. De son côté, l'Amirauté britannique refusait de laisser partir trois navires de l'intéressé, immobilisés à Londres, tant qu'il n'aurait pas versé de caution pour les soins qu'un de ses marins, blessé au cours de son travail, recevait dans un hôpital de la ville. Enfin, un hurluberlu nommé Labadesque, que Jacques avait engagé à l'époque de sa splendeur comme généralissime de la future armée saharienne, exigeait le paiement de sa solde, augmentée d'indemnités de retard, et menaçait d'étriper son employeur s'il n'était pas réglé dans les plus brefs délais.

Fut-ce l'accumulation de ces tracas qui décida Jacques Lebaudy à s'embarquer, un beau matin de 1909, pour les États-Unis ? Il emmenait Augustine et sa fille en jurant que l'Europe l'avait déçu, une fois pour toutes, que ce continent était un vestige du passé et que l'avenir de l'humanité se situait désormais de l'autre côté de l'Atlantique. Pourquoi n'y trouverait-il pas des terres vierges à conquérir et à civiliser comme il avait voulu le faire jadis au Sahara ? Il ne manquait ni d'argent, ni de courage, ni d'imagination ! Et ces atouts-là avaient cours sous toutes les latitudes !

Dès son arrivée, il s'installa à New York et loua des bureaux dans la 44e rue. De là, il multiplia les coups de Bourse, dont certains se révélèrent juteux. On racontait, dans le milieu des affaires, que, grâce à une manœuvre astucieuse, il avait précipité la déconfiture du Carnegie Trust, ce qui lui avait permis de réaliser un bénéfice de plusieurs millions. Tout comme l'avait fait son père, Jules Lebaudy, lors du krach de l'Union générale. « Bon sang ne peut mentir ! » répétait-il pour se justifier et s'encourager. Mais Augustine ne profitait guère de cet afflux d'argent.

Certes, elle vivait confortablement, avec auprès d'elle sa petite Jacqueline qui allait sur ses quatre ans. Mais l'attitude de Jacques à son égard était à ce point dénuée de tendresse et même d'attention qu'elle regrettait Lapalud comme un paradis dont la colère de Dieu l'eût chassée. Exilée dans un pays où elle n'avait pas d'amis et dont elle parlait à peine la langue, elle était en outre séquestrée dans son appartement. Jacques, qui était un maniaque de l'emprisonnement à domicile, l'enfermait à clef dès qu'il sortait pour quelque rendez-vous à l'extérieur. Elle comparait sa situation misérable à celle des otages du *Frasquita* détenus par les Maures. Son cap Juby à elle, c'était New York. Et elle ne pouvait pas compter sur un capitaine Jaurès pour la délivrer !

Cependant, si Jacques estimait nécessaire d'imposer à Augustine une claustration rigoureuse, il avait gardé de son séjour au Sahara le goût des grands espaces. N'étant jamais à court d'argent, il finit par acheter une propriété de trois cents hectares, *Phoenix Lodge*, dans le Long Island, cette île située près de la côte atlantique des États-Unis, à l'extrémité sud-est de l'État de New York, et par s'y transporter avec Augustine et la fillette. De temps en temps, il les délaissait et allait s'aérer en de longues chevauchées solitaires à travers la campagne. Ses vagabondages duraient parfois plus d'une semaine. Lors de ces expéditions équestres, il accrochait à ses pointes de troussequin des sacs de toile où il avait enfoui en vrac des dollars, des titres, des pièces d'or, des oranges, du pain, de l'avoine et une brosse à dents, car, étant déjà passablement édenté, il craignait de le devenir tout à fait, faute de soins. Son passage dans les districts voisins était toujours marqué par des scandales dans les « saloons » et des réclamations de commerçants dont il avait négligé de régler la note. En son absence, Augustine et sa fille étaient soumises à la surveillance très stricte d'une nurse, de plusieurs domestiques et de gardiens dévoués à ses ordres. Ils avaient pour consigne d'empêcher la mère et l'enfant de mettre le nez dehors. En les privant de liberté, leur seigneur et maître prétendait agir pour leur bien, car pas une seconde il ne lui venait à l'idée qu'Augustine pût avoir d'autre souhait que d'être constamment tapie sous son ombre.

Dans l'intervalle, il avait pris sans remords la nationalité américaine. Ainsi régénéré, il évitait de penser à la France, ce petit pays dont les soubresauts étaient à peine perceptibles par-delà l'immensité de l'Océan. Les Européens n'avaient qu'à se débrouiller entre eux, puisqu'ils n'avaient pas su le comprendre. Tous liens rompus avec le passé, il dérivait dans le bonheur du dépaysement consenti et de l'émigration intégrale. Il avait même oublié qu'il comptait encore quelque part, en France, une mère, un frère, une sœur, des cousins, des neveux, des nièces. Autrefois, il avait voulu régner sur un désert sans horizon. Or, dans cette Amérique patrie des pionniers, il avait l'impression qu'un nouveau Sahara lui était offert. Qui sait si, n'ayant pu être l'empereur des sables, il ne deviendrait pas un jour l'empereur du Texas, de l'Arizona ou, du moins, de Wall Street ?

X

Chaque année, le 24 décembre était subi par Amicie comme une pénitence. C'était l'anniversaire de la mort du cher Max, envers qui elle se sentait à jamais coupable d'incompréhension. Le mercredi 24 décembre 1913, elle se rendit, selon son habitude, à l'église pour se recueillir dans le souvenir du mal aimé. Cependant, trop fatiguée pour marcher jusqu'à la Trinité, elle se contenta, pour une fois, de faire ses dévotions à la chapelle des Franciscains, rue de Saint-Pétersbourg. Par un étrange renversement de situation, l'intérêt posthume qu'elle portait à son fils cadet l'éloignait de plus en plus de son fils aîné, émigré aux États-Unis et dont les journaux parisiens eux-mêmes semblaient avoir perdu la trace. Par ailleurs, si elle hochait la tête, sceptique, devant les exploits des dirigeables Lebaudy avec lesquels Robert et ses cousins, Pierre et Paul, voulaient faire escalader le ciel à leurs pilotes et si elle soupirait d'agacement en lisant les échos des brillantes apparitions de sa fille Jeanne dans les salons du faubourg Saint-Germain, sa pensée revenait de plus en plus souvent au jeune Max disparu en 1895, à l'orée de sa vie, après avoir brûlé la chandelle par les deux bouts. Quand elle l'évoquait, elle éprouvait dans son cœur, et jusque dans ses os, le poids de la vieillesse. Ses souvenirs, tendresse et remords confondus, lui tenaient compagnie comme pour guider ses derniers pas vers le néant. Concentrée sur les images de sa mémoire, elle se détournait sans effort du mouvement de l'univers autour d'elle. Certes, elle prêtait l'oreille aux rumeurs de guerre, qui s'amplifiaient depuis la crise d'Agadir et l'insolence affichée de Guillaume II ; certes, elle tremblait d'indignation devant le meurtre de Calmette, directeur du *Figaro*, par Mme Caillaux, épouse du ministre des Finances ; certes, elle déplorait que M. Doumergue ne fût pas de taille à mater les troubles qui menaçaient le pays ; certes, le dimanche 28 juin 1914, l'annonce de l'assassinat de l'archiduc François-Ferdinand par un étudiant bosniaque lui paraissait grave de conséquences pour la paix en Europe. Mais elle estimait que, malgré l'ultimatum envoyé par Vienne à Belgrade, ce différend se réglerait entre Serbes et Autrichiens sans que la France eût à intervenir autrement que par l'envoi de quelques diplomates habitués à ficeler des compromis acceptables par tous. Cette indifférence philosophique aux problèmes de l'heure correspondait à un engourdissement progressif de ses muscles et de son cerveau. Pour secouer son apathie, elle avait résolu d'aller à Monte-Carlo, où elle avait une villa, et de s'y reposer, loin de tout et de tous, pendant quelques mois. La déclaration de guerre par l'Allemagne à la France, le 3 août 1914, contrecarra brutalement ses projets.

On disait, parmi les gens bien informés, que les hostilités seraient de courte durée, étant donné l'exceptionnelle qualité du commandement et de l'armement français. Mais, dès les premières batailles, les troupes de la République furent bousculées, débordées, Paris se trouva menacé et le gouvernement se replia provisoirement à Bordeaux. Il fallut l'arrêt de l'avance allemande sur la Marne et l'étripage sanglant des adversaires dans les plaines dévastées avant que la guerre de tranchées ne succédât à la guerre de mouvement. Toujours guidée par son idée fixe, Amicie soutenait mordicus que, si Guillaume II avait attaqué la France, c'est qu'il avait voulu exploiter l'état d'extrême décadence dont souffrait une nation ruinée et démoralisée par les républicains. La rude défaite de Charleroi l'avait confirmée dans l'opinion que l'antimilitarisme, le socialisme et l'action conjuguée des juifs et des francs-maçons avaient préparé la victoire du Kaiser. A présent, elle enviait ce fou de Jacques, qui avait fui à temps aux États-Unis, et elle priait pour ses merveilleux petits-fils, André et Hubert, tous deux mobilisés et risquant la mort à cause de quelques ministres de gauche qui avaient désarmé, endoctriné et châtré les Français. Envisageant le pire pour son pays, elle refusait de croire que l'aide des alliés anglais, russes et, depuis peu, italiens parviendrait à conjurer le désastre. Elle s'était, entre-temps, réfugiée à Monaco, mais elle jugeait y être encore trop près des combats. Elle disait : « Si la France est vaincue, ce qu'à Dieu ne plaise, je ne remettrai jamais les pieds à Paris ; je m'exilerai et j'irai finir mes jours n'importe où ! » Peut-être eut-elle la tentation, à ce moment-là, de courir chercher refuge auprès de Jacques Ier, empereur découronné, mais qui, selon certains informateurs d'Amicie, refaisait gentiment fortune à New York ? Pourtant, si sa raison l'incitait à partir, son cœur la retenait sur place. Tout en maudissant le gouvernement et les généraux, elle se sentait incapable de se séparer de ses compatriotes à l'heure du plus grand danger. Chaque jour elle entendait parler de « morts pour la France » parmi les hommes proches de son cercle d'intérêt. A croire que tout individu portant culotte était un cadavre en sursis. La revancharde d'hier se laissa aller à murmurer un jour, devant témoins : « L'horreur de cette guerre est telle que je comprends maintenant qu'un père et qu'une mère fassent tout pour que leur fils soit retiré du front[1]. »

Au printemps de 1915, l'échec de l'offensive en Artois et en Champagne la consterna

1. Propos rapportés par Marcel Barrière, *op. cit.*

et, tout à coup, elle se mit à espérer que cette fameuse aviation rivale de l'aérostation pût clouer au sol les armées allemandes. Alors que les nouvelles du front russe étaient de plus en plus inquiétantes, elle se rendit à l'aérodrome d'Issy-les-Moulineaux pour assister aux essais d'un énorme biplan à deux étages d'ailes et à double hélice, dernière machine imaginée par les frères Voisin. Elle avait vaguement l'impression de trahir ainsi la cause de son fils Robert et de ses neveux Pierre et Paul, tous trois fanatiques du « plus léger que l'air » avec la série des dirigeables Lebaudy. Mais « tous les moyens sont bons quand il s'agit de sauver la France ». Soucieuse de s'informer, Amicie interrogea même deux pilotes sur les chances de l'aviation militaire. Ils lui expliquèrent les performances de leurs appareils et l'assurèrent que la conquête du ciel tournait à l'avantage des Français.

Ces précisions intéressaient d'autant plus Amicie que son petit-fils Hubert était devenu aviateur et opérait avec un héroïsme exemplaire, disait-on, dans le secteur de Châlons-sur-Marne, tandis que son autre petit-fils, André, servait maintenant dans les cuirassiers à pied. Quant à Robert, lieutenant de réserve, il commandait la 23e section de munitions du 37e régiment d'artillerie de campagne. Amicie recevait de leurs bonnes nouvelles à tous trois et cela compensait largement, à ses yeux, de n'en avoir aucune de Jacques, « le Saharien ». Or, voici que, en septembre 1915, une dépêche du correspondant du *Daily Express* portait à la connaissance de ses lecteurs : « Jacques Lebaudy, l'ex-empereur du Sahara, a été interné dans un asile d'aliénés de Long Island. » Selon l'auteur de l'article, Jacques Lebaudy avait eu le cerveau à ce point ébranlé par les échos de la guerre en Europe qu'il avait subitement voulu y jouer le rôle d'une puissance alliée supplémentaire. S'étant mis en tête de former un régiment de cavalerie à son nom, afin de concourir à la défaite de l'Allemagne, il était en train d'acheter des dizaines de chevaux pour la monte de ses hommes et des vaches laitières pour assurer leur alimentation. « Quand l'officier de police chargé d'arrêter Jacques Lebaudy arriva à Long Island, indiquait le journaliste, il le trouva dans un champ, monté sur un poney de polo, le drapeau tricolore en écharpe, une trompette d'enfant suspendue à son cou et une sorte de bâton de maréchal à la main. Ainsi paré, il commandait une petite armée de messagers de la Western Union, envoyés de New York sur son ordre et qu'il payait un dollar par jour [1]. »

C'était Augustine elle-même qui, alarmée par les désordres quotidiens de Jacques, avait demandé son internement. Elle disait que, si elle était prête à tout souffrir de lui, elle ne supportait pas qu'il terrorisât leur enfant. L'ex-empereur du Sahara n'opposa pas trop de résistance aux deux vigoureux infirmiers chargés de le conduire au sanatorium de Lowden. Ayant assisté à son départ, Augustine put se croire délivrée. Mais peu de temps après il trompait la surveillance des gardiens et disparaissait sans laisser de trace. Les battues pour le retrouver commencèrent aussitôt dans les environs. Au bout de cinq jours, on le découvrit négociant, auprès d'un fermier, l'achat de trente mille bœufs destinés au ravitaillement de son armée fantôme et, comme l'éleveur lui jurait qu'il ne possédait plus une seule bête dans

1 Cf. Marcel Barrière, *op. cit.*

son étable, il le menaçait du conseil de guerre. Ramené à Lowden sous escorte et réexaminé par les médecins du sanatorium, il traita sa mésaventure de polissonnerie sans conséquence et amusa si bien ses interlocuteurs qu'ils le jugèrent irresponsable, certes, mais nullement dangereux et le remirent en liberté.

Ce fut un ressuscité délirant et exigeant qui reparut à Phoenix Lodge. Du matin au soir, il déambulait, vêtu d'une gandoura saharienne, à travers la maison et haranguait les murs avec fureur ou ironie. Il ne se séparait jamais ni de son sabre ni de son pistolet, symboles de sa toute-puissance. Comme à l'accoutumée, dès qu'il devait s'absenter, il enfermait à clef Augustine et sa fille et défendait à quiconque de s'approcher des captives. Les domestiques lui obéissaient au doigt et à l'œil. Cependant, la gouvernante s'arrangeait pour apporter à boire et à manger, en cachette, aux recluses. Des voisins, alertés par les singularités de ce « Français-Saharien », avertirent les journalistes locaux. De temps à autre, un écho signalait aux lecteurs des gazettes le calvaire de la malheureuse Augustine. Ces indiscrétions exaspérèrent Jacques et il fit distribuer une circulaire avisant les commerçants du village de Westbury qu'ils ne seraient pas réglés pour les marchandises achetées à crédit par sa compagne et que désormais lui seul aurait le droit de se servir chez eux pour le ravitaillement de Phoenix Lodge.

Évidemment, les petites excentricités de l'ex-empereur du Sahara étaient chaque jour balayées par le vent de la guerre, soufflant d'Europe en Amérique. Bien que les États-Unis ne fussent pas encore officiellement impliqués dans le conflit, on y suivait avec passion le déroulement des opérations militaires. Au moment de l'offensive de Verdun, personne, à Long Island, ne se préoccupait de savoir comment Augustine et Jacqueline survivaient dans leur cauchemar domestique. De l'autre côté de l'Atlantique, Amicie, elle, était obsédée par un seul espoir : que la France tînt bon, malgré le sang et les pleurs de toute une population à bout de résistance. La reprise du fort de Douaumont, celle du fort de Vaux lui firent croire un moment que Dieu l'avait entendue. Mais, quelques jours plus tard, une terrible nouvelle lui révéla qu'elle avait eu tort de se réjouir. Son petit-fils préféré, Hubert, venait d'être abattu en combat aérien. A l'annonce de ce drame, elle eut l'impression d'être frappée elle-même en plein vol. N'était-il pas absurde qu'un Lebaudy pérît mitraillé dans son avion de chasse, alors qu'une partie de la famille avait lutté, pendant des années, afin de convaincre les sceptiques de la nécessité pour la France de conquérir le ciel ? Où était la logique dans ce massacre prétendument moderne et chevaleresque ? « On lui avait bien dit de ne pas entrer dans l'aviation ! se lamentait Amicie. Sa mère, son père l'en avaient supplié. Il n'a rien voulu entendre ! La gloire le tentait, sans doute [1] ! » Peu après, elle recevait une longue lettre de sa fille, lui relatant, avec force détails, les obsèques militaires du lieutenant Frisch de Fels, pilote de l'escadrille N 28, « mort pour la France, tué en combat aérien, le 9 novembre 1916, à Massiges, au nord de Suippes, à trois heures un quart de l'après-midi ». Le défunt avait eu droit à une citation magnifique : « Officier pilote d'un rare courage, ayant au suprême degré la notion du devoir et le mépris du danger, a affirmé dans

1. Propos rapportés par Marcel Barrière, *op. cit.*

de nombreuses rencontres avec l'ennemi ses brillantes qualités d'audace et son merveilleux entrain. Le 9 novembre 1916, attaquant deux avions ennemis, a trouvé une mort glorieuse au cours du combat. » Ayant lu et relu le récit émouvant de cette consécration posthume, Amicie, effondrée, ne put s'empêcher de penser que sa fille, qui lui ressemblait si peu, tenait d'elle l'amour des nobles sentiments et de l'écriture châtiée.

D'ailleurs, elle devait reconnaître que, depuis le début de la guerre, Jeanne Frisch de Fels de Heffingen se comportait avec beaucoup de dévouement et de dignité. Hôpitaux, ambulances, œuvres charitables bénéficiaient de son obligeant et discret concours. Et pourtant, la découverte de ces nouvelles affinités entre elle et sa fille ne suffisait pas à apaiser le désarroi d'Amicie devant le train infernal du monde. La disparition d'Hubert lui paraissait maintenant un signe prémonitoire de son propre glissement vers l'abîme. Sa lassitude était si grande, en cette fin d'année, qu'au lieu d'aller à l'église elle préféra rester chez elle pour se recueillir, à sa façon, dans le deuil. La mort d'Hubert et la mort de Max n'en faisaient plus qu'une dans sa tête. Les idées brouillées, les dates confondues, elle se demandait même si ce n'était pas Max qui était un aviateur intrépide et Hubert un noceur impénitent. Autour d'elle, le pays, devenu fou, ne se préoccupait plus que d'opérations militaires et de prises de position politiques. C'était Joffre nommé maréchal de France, c'était l'affrontement, au large du Danemark, des flottes anglaise et allemande en un combat indécis et meurtrier, c'étaient les troubles révolutionnaires en Russie, c'était l'assassinat de Raspoutine, c'était l'abdication de Nicolas II. Tant de changements ne pouvaient qu'annoncer un chaos général. Amicie espérait échapper à cette vision apocalyptique. De jour en jour, elle détournait un peu plus son esprit de la démence belliqueuse des nations pour se concentrer sur la démence, moins évidente mais aussi néfaste, de ses proches.

Sur le point de prendre congé de son temps, elle essayait de savoir ce qu'il y avait de commun entre tous les Lebaudy, ou, plus précisément, ce qu'il y avait d'elle en chaque membre de la famille. Au fond, pensait-elle, ce qui les rassemblait, c'était l'obsession de la réussite exceptionnelle dans quelque domaine que ce fût. Son mari, Jules Lebaudy, avait voulu être le capitaliste le plus habile et le plus envié de France ; son fils Robert s'était mis en tête de conquérir l'espace avec ses dirigeables ; son fils Jacques avait poussé l'aberration jusqu'à prétendre régner sur les sables du Sahara ; elle-même avait cherché à améliorer et à gouverner la vie quotidienne des petites gens en les installant dans des maisons construites sur son ordre et avec son argent. Ainsi, de son mari à ses fils et à elle-même, c'était toujours un orgueil démesuré et une fortune inépuisable qui avaient dicté la conduite des Lebaudy. Peut-être, de toute la tribu, était-ce le petit Max, celui qu'elle traitait jadis d'irresponsable, qui était le moins déséquilibré sous ses airs de snob et de fêtard ? Les savants qui ont la prétention d'avoir un mot pour chaque chose qualifiaient ce goût immodéré de la grandeur de « mégalomanie ». Amicie l'appelait, elle, selon une formule moins scientifique, le « besoin du perpétuel dépassement de soi ».

Mais il arrive un moment où l'âme fatiguée n'est plus capable du moindre projet. On ne vit plus que par la vitesse acquise. Un soir, Jeanne de Fels de Heffingen, ayant forcé la porte de l'appartement de sa mère, malgré la consigne de ne la déranger sous aucun prétexte, trouva Amicie, délirante, au fond de son lit. Le visage de la malade était marbré de taches rouges, des traces de sang marquaient ses lèvres aux profondes gerçures et il y avait dans ses yeux une imploration muette. Ébranlé par une forte crise d'albuminurie, son organisme ne réagissait plus. Pourtant, elle reprit quelque vigueur les jours suivants, écoutant avec intérêt les nouvelles qu'on lui donnait du front et de la Russie, où la révolte gagnait du terrain. Peu après, elle subit une petite attaque qui acheva de la rendre indifférente aux vains soubresauts de l'univers. Sa fille crut l'instant venu de lui faire administrer l'extrême-onction. Mais, à l'approche du prêtre, Amicie serra les mâchoires et ferma les yeux comme si elle eût refusé de communier avant l'heure choisie par elle. Une fois de plus, elle entendait n'obéir qu'à sa propre volonté. D'ailleurs, dès le lendemain, elle recouvra assez de lucidité pour se réjouir de l'entrée en guerre de l'Amérique et de l'arrivée imminente à Paris de son petit-fils André, qui avait obtenu une permission, afin d'épouser une jeune fille du meilleur monde : Mlle Marthe de Cumont. La bénédiction nuptiale devait avoir lieu en l'église Saint-Honoré-d'Eylau. Trop malade pour y assister, Amicie chargea Jeanne de lui faire un compte rendu détaillé de la cérémonie. Ce jour-là, recevant sa fille au retour de la messe, elle écouta avec une attention presque joyeuse le récit du mariage. André de Fels de Heffingen s'était présenté à l'autel « en tenue de guerre ». Avec son uniforme bleu horizon, ses bottes luisantes et son casque, il était, disait sa mère, l'image même de la France victorieuse.

Le jeudi 3 mai 1917, à neuf heures quinze du matin, la concierge de l'immeuble se hasarda au chevet de Mme Amicie Lebaudy. Constatant que la respiration de la vieille dame ressemblait à un râle, elle courut prévenir Jeanne de Fels de Heffingen qui arriva juste à temps pour serrer une dernière fois la main vivante de sa mère. Jeanne n'avait déjà plus sous les yeux qu'un masque lisse et pacifié. On fit rapidement la toilette du corps. Deux religieuses s'installèrent autour du cercueil pour la veillée. Le samedi 5 mai 1917, parmi de longs articles sur les événements du front, *Le Gaulois* publia quelques lignes nécrologiques passe-partout. Les obsèques se déroulèrent le lendemain, en l'église de la Trinité. Malgré ses obligations militaires, Robert Lebaudy, fils cadet de la défunte, put se rendre aux funérailles. Il fut accueilli dans la nef par son beau-frère le comte de Fels, prince de Heffingen, le fils de ce dernier, André, sa belle-fille Marthe et leurs filles. La mise au tombeau eut lieu au cimetière du Père-Lachaise où la famille Lebaudy possédait un superbe mausolée. Le cercueil d'Amicie Lebaudy rejoignit dans le caveau celui de son mari Jules, qu'elle avait détesté tout au long de leur parcours conjugal, et celui de son fils Max, qu'elle avait aimé trop tard pour le comprendre et être comprise de lui.

Le 27 mai 1917, le journal *Le Progrès* publia un « Billet parisien » dépeignant l'étrange personnalité de la défunte. « Il y a des gens qui sont propriétaires de sommes colossales et qui sont fort malheureux, écrivait le chroniqueur, Jean Bernard. Mme Jules Lebaudy, qui vient de mourir, était de ceux-là [...]. M. Lebaudy l'avait laissée veuve de bonne heure, avec une immense fortune acquise dans des spéculations qui avaient ruiné bien des gens.

L'argent ne la grisa pas, mais l'effraya. Elle prit un nom d'emprunt et s'en alla vivre dans un coin de banlieue, dans un petit logement, où elle cachait sa personnalité, servie par une seule femme de ménage. Très croyante, très pratiquante, elle donnait beaucoup, paraît-il [...]. Avec sa grande sincérité, son désir de soulager les infortunes, elle avait la terreur de ce qu'on appelle vulgairement le "tapage". "Il suffit qu'on me demande, disait-elle, pour que je refuse." » Plus loin, l'auteur de l'article signalait les soucis familiaux de Mme Lebaudy, au premier rang desquels il évoquait « ce dément d'un genre spécial qui se fit une réputation comme roi du Sahara » et ce « petit fêtard qu'on connaissait dans les milieux boulevardiers les moins recommandables sous le surnom de Petit Sucrier et qui, avant de mourir de tuberculose, fut exploité par une bande d'aigrefins [...]. Qui donc a dit qu'à l'origine de toute grosse fortune il y a quelque action malhonnête ? » Et de citer, à l'appui de sa théorie, une phrase de Bourdaloue affirmant que, chez les familles les plus riches et les mieux considérées, on peut découvrir dans les causes de leur aisance « des choses qui font trembler ». Commentant cette maxime de l'illustre prédicateur, le journaliste ajoutait malicieusement que, pour les gens d'esprit, « on exagère en disant que la fortune est aveugle ; souvent elle est simplement borgne ».

Les messages de condoléances pleuvaient sur le comte et la comtesse Edmond de Fels. Certains de ces témoignages présentaient Amicie comme une « sainte », qui se serait trompée de famille et de siècle. Les plus lyriques voyaient en elle un mélange de rigueur despotique et de piété chrétienne, rappelant les grandes âmes des moniales d'autrefois. D'autres admiraient le modernisme de son approche de la pauvreté et la discrétion dont s'enveloppaient ses largesses. La plus significative de ces lettres était encore celle du secrétaire du conseil et de l'assemblée de l'Institut Pasteur, qui, quelques semaines après l'enterrement, écrivait à Jeanne de Fels pour lui faire part de sa surprise en découvrant que la défunte était « cette généreuse anonyme qui, pendant dix-sept années, avait subvenu aux frais de l'hôpital Pasteur et avait soutenu les jeunes savants en qualité de boursiers ». « La modestie [de Mme Jules Lebaudy], poursuivait le porte-parole de l'Institut Pasteur, n'a pas voulu que ses libéralités fussent connues de son vivant et nous apprenons dans le même moment le nom de la bienfaitrice et sa mort. » En conclusion, il annonçait à Jeanne de Fels que, dans sa dernière délibération, l'assemblée avait souhaité voir placer dans l'enceinte de l'hôpital Pasteur une inscription « qui perpétuerait le souvenir de sa grande bienfaitrice ». Une inscription analogue devait figurer sur une plaque à l'hôpital Saint-Michel, 33, rue Olivier-de-Serres (15e arrondissement), dont la direction entendait honorer la mémoire de la disparue par un « pavillon Lebaudy ».

L'ouverture du testament d'Amicie eut lieu en l'étude de Me Lanquest et devant les principaux intéressés. Mme veuve Lebaudy laissait à ses trois enfants, Jacques, Robert et Jeanne, comtesse de Fels, princesse de Heffingen, la totalité de ce qu'elle avait touché à la mort de leur père. Économe dans la vie courante et avisée dans ses placements, elle avait mis un point d'honneur à ne dépenser, en tant que veuve, que les revenus de l'héritage. Son petit-fils André recevait, pour sa part, cinq millions de francs en gage de l'estime et de l'affection que lui vouait sa grand-mère. Me Lanquest était chargé de veiller à l'exécution des dernières volontés de la défunte et se voyait attribuer, à ce titre, trente mille francs. Le montant de la succession dépassait les cent vingt millions de francs or. Ce qui surprit certains commentateurs, ce fut l'absence, dans le testament, de tout legs en faveur des œuvres qu'Amicie avait si généreusement patronnées jusqu'à sa mort. Mais, comme l'expliqua le notaire, une pareille rigueur correspondait au caractère entier de sa cliente. Elle avait toujours estimé que la charité envers les démunis devait être limitée et provisoire. Elle voulait bien aider les malheureux à se mettre en selle, mais elle refusait de fournir de l'avoine à leur monture aussi longtemps qu'il leur plairait de la chevaucher. Autant il était légitime, jugeait-elle, de secourir les faibles qui titubaient en sortant dans la rue, autant il était néfaste de les habituer à être accompagnés et guidés, quels que fussent la longueur et le but de leur promenade. Ayant fait le nécessaire, sa vie durant, pour donner leur chance aux plus pauvres, elle passait la main et déléguait à ses héritiers le soin de choisir les bénéficiaires de ses largesses posthumes.

Il y eut quelques grincements de dents parmi les habitués de la sollicitude lebaudienne. Mais nul n'osa dire qu'elle avait changé d'attitude à la veille de son trépas. La vieille femme qu'on venait d'enterrer au Père-Lachaise était bien celle qui, déguisée en mendiante et comptant centime par centime la monnaie qu'on lui rendait dans les magasins, construisait des maisons confortables pour les ouvriers bien pensants, aidait l'Institut Pasteur dans ses recherches, subventionnait l'expédition Charcot au pôle Sud et laissait par testament cent vingt millions de francs à sa famille. Si elle ne prévoyait rien pour les bonnes œuvres après sa disparition, c'était, disait-on, afin d'apprendre aux assistés qu'un jour ou l'autre ils devraient se passer de l'assistance.

Quand la nouvelle du décès d'Amicie parvint à Jacques, dans sa maison de Long Island, il n'était guère capable de s'en émouvoir, ni même d'y prêter attention. Cependant, profitant de quelque moment de relative lucidité, il télégraphia de New York, le 11 mai 1917, à sa sœur, la comtesse de Fels, au château de Voisins : « Apprends seulement aujourd'hui à mon retour d'une courte absence la triste nouvelle. Mon chagrin est extrême. — Jacques Lebaudy. » Pas un mot de plus. La mort de sa mère l'affectait moins que le frôlement furtif d'une mouche sur sa joue. Que venait-on lui parler de ces histoires de famille ! Il avait tout quitté en quittant la France. Le seul effort d'un rappel des réalités françaises l'avait épuisé. Assailli de dépêches et de lettres par les notaires parisiens impatients de recevoir sa procuration pour pouvoir régler les questions d'héritage, il se contentait de répondre qu'il n'était pas pressé et qu'il donnerait « en temps voulu » des instructions aux conseillers chargés de le représenter. Et, de fait, il n'avait pas la tête, en ce moment, à discuter des modalités d'une succession, fût-elle mirobolante. La cinquantaine bien sonnée, était-ce le démon de midi qui le tourmentait ? Tout à coup, l'odeur de l'argent l'attirait moins que l'odeur de la femme. Retombé en pleine démence, l'ex-empereur du Sahara était obsédé par la composition et l'organisation de son « harem ». Non content de tyranniser sa maîtresse, il venait de découvrir que sa fille Jacqueline, qui allait avoir quatorze ans, ne manquait pas de charme. Une vraie petite vierge, à la fois gracile et appétissante, à la peau plus lisse et moins « ambrée » que celle d'Augustine, aux lèvres fraîches comme un fruit et au regard innocent. Tandis que l'Amérique, électrisée, vibrait aux exploits de son armée enfin engagée dans les combats aux côtés des Alliés, Jacques se déclarait fasciné par une nouvelle « Dulcinée ». Mais cette Dulcinée-là, malgré son âge tendre, devait se préparer, comme sa mère autrefois, disait-il, à satisfaire les désirs du maître. Estimant que les interdits de l'inceste, s'ils arrêtent le vulgaire au seuil du péché, ne comptent pas pour un empereur, il proclamait à tous les échos qu'il ne se calmerait qu'après avoir accompli avec la gamine l'acte de chair grâce auquel il l'avait jadis procréée. Face à une Augustine glacée d'effroi, il hurlait, les yeux exorbités :

« — L'impératrice ne vaut plus rien ! Je n'en veux pas ! Entends-tu, Augustine ? C'est la princesse qu'il me faut ! Elle seule maintenant sera ma reine ! L'empereur ne saurait se contenter des charmes surannés de sa sultane ! C'est la princesse qu'il me faut[1]. »

Profitant d'un bref répit dans la gesticulation et les vociférations de Jacques, Augustine courut implorer la protection du shérif du village. Mais celui-ci hésitait à intervenir et se retranchait derrière l'avis des médecins du sanatorium de Lowden qui avaient remis Jacques en liberté.

« — Il a été reconnu sain d'esprit par les médecins, disait-il. Demandez un nouvel examen. Tant qu'il n'y a pas eu un délit caractérisé, je ne peux rien faire ! »

Rentrée chez elle, Augustine se résigna à organiser la protection de Jacqueline avec les moyens dont elle disposait. La gouvernante était une femme à poigne, prête à comprendre et à aider son infortunée patronne. Elles se partagèrent la charge de surveiller les abords de la chambre, la nuit, durant le sommeil de Jacqueline. Dès que l'enfant était couchée, elles barricadaient sa porte et se

1. Les détails et les propos de cette scène ont été rapportés par Augustine dans le récit qu'elle en fit, en avril 1922, à un envoyé du *Journal*.

relayaient sur le seuil, l'une montant la garde pendant que l'autre prenait du repos.

L'armistice de 1918, qui fut salué par une explosion de joie dans tous les pays en guerre, n'apporta aucune détente à Phoenix Lodge. Jacques Lebaudy menaçait toujours de répudier sa vieille maîtresse qui ne le séduisait plus et de violer sa fille qui le séduisait chaque jour davantage. On eût dit que la gamine ne prenait des formes que pour mieux l'exciter. Quand il la croisait dans la maison, il la déshabillait du regard et souriait avec convoitise. Affolée, Augustine retourna se plaindre au shérif. Pour se débarrasser d'elle, il lui conseilla de se procurer une arme et de la brandir devant le forcené pour l'intimider, au cas où il passerait la mesure.

« — Il faut une licence pour acheter une arme, gémit Augustine. Donnez-m'en une !

« — C'est impossible ! Mais, si ces incidents se renouvellent, prévenez-moi. J'aviserai. »

Excédée, Augustine songeait déjà à fuir Phoenix Lodge lorsque Jacques Lebaudy, ressaisi par son goût du vagabondage, disparut sans dire où il allait ni quand il reviendrait. Un moment, elle put croire qu'elle et sa fille étaient définitivement hors de danger. Mais ce fut un court répit. Quelques jours plus tard, Jacques Lebaudy ressurgissait, plus exalté et plus vindicatif que jamais. Ses troubles mentaux ne lui laissaient pas une minute de lucidité. Il lui arrivait de piétiner, nu, devant la porte de sa fille, un numéro du *New York Times* accroché autour des reins en guise de cache-sexe et le sabre à la main. Cette fois, le shérif, averti par Augustine, reconnut qu'il fallait « tenter quelque chose » et lui prêta un petit revolver de type « bulldog ».

« — Cela suffira à le faire réfléchir ! » précisa-t-il.

A moitié rassurée, Augustine emporta l'arme dans son sac à main et, rentrée chez elle, constata que Jacques Lebaudy s'était à nouveau volatilisé. Elle respira un bon coup et pria le ciel qu'il ne revînt jamais. La gouvernante s'étant absentée pour plusieurs heures, Augustine était seule à la maison avec sa fille. Pour la première fois, elle n'avait pas peur de Jacques. En tâtant le petit revolver « bulldog » dans son sac à main, elle se sentait protégée. Elle s'employait à calmer les inquiétudes de Jacqueline et envisageait encore la possibilité d'aller se réfugier avec elle dans une autre ville des États-Unis, ou peut-être même de retourner en France. Mais, le 11 janvier 1919, aux environs de midi, elle reçut un appel téléphonique. La voix qu'elle entendit à l'autre bout du fil la pétrifia :

« — Madame, je vous informe que j'ai pris la décision de violer votre fille cet après-midi. Je vous conseille de ne pas vous opposer à mes desseins ! »

Et, tandis qu'elle suppliait Jacques de renoncer à ce projet monstrueux, il raccrocha. Que faire ? Serrant dans ses bras sa fille percluse d'angoisse, Augustine pensa d'abord à prévenir le shérif. Mais cet homme timoré trouverait toujours un prétexte pour ne pas se déranger et lui recommanderait la patience. Elle préféra s'enfermer à double tour dans sa chambre à coucher avec Jacqueline. Blotties l'une contre l'autre et l'oreille aux aguets, elles attendirent ainsi pendant des heures, sans oser quitter leur retraite pour manger un morceau de pain ou boire un verre d'eau. Enfin, au milieu de l'après-midi, un bruit insolite, venant de l'extérieur, les avertit que le dénouement approchait. Jacques Lebaudy avait pénétré dans le jardin de Phoenix Lodge. Il était vêtu de sa gandoura saharienne et défiait le vide avec son revolver. A sa vue, le vieux jardinier noir, croyant que le maître en avait après lui, poussa un hurlement, lâcha son râteau et s'enfuit. Au lieu de le suivre, l'empereur du Sahara entra en coup de vent dans la maison, inspecta les pièces une à une, s'indigna de n'y trouver personne et, se plantant devant la porte de la chambre où la mère et la fille s'étaient retranchées, ordonna, péremptoire :

« — Ouvrez-moi ! Ma décision est sans appel ! Je dois l'exécuter aujourd'hui même ! »

Ces paroles étaient accompagnées de coups violents frappés contre le vantail. Augustine mit une main sur la bouche de Jacqueline pour l'empêcher de parler et retint elle-même sa respiration. Ne recevant pas de réponse, Jacques Lebaudy s'étrangla de fureur :

« — Je vais vous faire les sommations d'usage ! glapit-il. Si vous n'obtempérez pas, vous ne pourrez plus compter sur mon indulgence ! »

Et, comme les malheureuses continuaient à se taire, il se précipita vers le poêle, en retira avec des pinces les charbons ardents et les répandit sur le parquet devant la porte close. Peu à peu, la fumée, passant par les interstices, envahit la pièce. Comprenant que

Jacques s'était mis en tête de les asphyxier toutes deux, ou même d'incendier la maison, Augustine fut saisie de panique. Entraînant sa fille, elle se dirigea vers une autre porte qui, de sa chambre, menait à un escalier intérieur. Tandis qu'elles gravissaient les marches, Jacques Lebaudy avait déjà enfoncé le vantail d'un coup d'épaule et se ruait sur leurs talons. Arrivée sur le palier du deuxième étage, Augustine fit face au dément qui la visait avec son revolver. Qui tira le premier ? Elle affirmera toujours que ce fut lui. En tout cas, elle ne perdit pas son sang-froid durant ces secondes décisives. Serrant dans ses doigts la petite arme si élégante que le shérif lui avait confiée, elle appuya sur la détente. A cinq reprises. Comme à travers les brumes d'un cauchemar, elle lut dans le regard de Jacques le passage de la colère à l'horreur et à l'incrédulité. Il chancela, tomba à la renverse et son corps inerte, à la gandoura retroussée, dévala l'escalier jusque dans le vestibule[1].

1. D'après les confidences d'Augustine Dellière, recueillies et commentées par Max Massot pour *Le Journal* (avril 1922).

Une dépêche télégraphique de New York, datée du 12 janvier 1919, annonça à l'Europe la fin tragique de l'ex-empereur du Sahara, qui avait eu le tort de troquer des montagnes de sucre contre des châteaux de sable.

Arrêtée aussitôt après le meurtre, Augustine, tout ensemble prostrée et soulagée, fut gardée à vue pendant six jours à Phoenix Lodge. Il fallut attendre la fin de l'autopsie légale pour procéder à l'inhumation, le 17 janvier, derrière l'église de Saint Bridget, à Westbury, de Jacques Lebaudy, que les journalistes s'obstinaient à désigner comme l'ex-empereur du Sahara. De rares reporters assistèrent à la cérémonie. Augustine et sa fille ne furent pas autorisées à voir ensevelir leur tortionnaire vénéré. Le *father* romain William F. McGinnis prononça quelques mots au-dessus de sa tombe : « Quoique j'estime que le défunt a probablement violé toutes les lois de l'Église, dit-il, je suis convaincu qu'il a été vraiment insensé pendant un certain nombre d'années ; c'est pourquoi je ne m'oppose pas à ce qu'il soit inhumé dans un terrain consacré. »

Le jour même des obsèques, Augustine comparut devant le procureur du district qui l'interrogea avec ménagement et l'invita à présenter sa défense. Elle était si bouleversée qu'après s'être écriée à plusieurs reprises : « Je ne suis pas coupable ! » elle s'évanouit. Le magistrat conclut à un homicide volontaire, mais avec l'excuse de la légitime défense, et renvoya Augustine devant le grand jury d'accusation. La loi de l'État de New York ne permettant pas la mise en liberté sous caution, elle eut encore à subir un temps de détention très douce. Elle tremblait à l'idée d'affronter le tribunal. Or, d'emblée, le jury refusa de la poursuivre sous l'inculpation de meurtre. Le 22 janvier, soit dix jours après la mort de Jacques Lebaudy, elle était relaxée, et la mémoire du disparu se voyait entachée à jamais des qualificatifs de bourreau et de père incestueux.

Quand elle regagna Phoenix Lodge avec Jacqueline, son premier soin fut de tirer au clair sa position légale et celle de son enfant. Jacqueline n'avait pas été reconnue officiellement par Jacques Lebaudy et Augustine était la compagne et non l'épouse du défunt. Néanmoins, en tant que mère, elle était tutrice et administratrice des biens de sa fille mineure. Dès le début, cette situation équivoque suscita de grandes réserves chez les cohéritiers Lebaudy. A qui devait aller le magot de Jacques, lequel, bien que fou, disposait d'une assez grosse fortune ? Pour traiter l'affaire avec les survivants du clan Lebaudy, Augustine s'adressa à la cour du *surrogate*, juridiction spéciale où siégeait un magistrat unique, et se fit représenter par une équipe d'avocats grassement rétribués. Avocats américains et français, hommes d'affaires accrédités par l'une et l'autre partie, administrateurs et subrogés tuteurs se succédèrent en d'interminables discussions dans le bureau du *surrogate*. Enfin, on aboutit à un compromis qu'Augustine elle-même avait proposé : les familles de Fels de Heffingen ainsi que les collatéraux Lebaudy accepteraient la moitié de la fortune considérable laissée par Jacques, l'autre moitié étant réservée à la compagne et à la fille du défunt. Le *surrogate* leur accordait en outre, à toutes deux, une pension alimentaire assez coquette.

Cependant, ce qui importait à Augustine, c'était davantage la confirmation de sa situation légale et de celle de sa fille que la mise à jour des comptes et l'attribution d'une fraction de l'héritage de Jacques. Pour appuyer ses dires, elle avait pu mettre la main sur quelques lettres du défunt qui justifiaient indirectement ses réclamations. Là-dessus, une décision capitale fut prise en sa faveur par le *surrogate.* Un jugement, en date du 4 août 1920, décidait que la demoiselle Augustine-Léonie-Marguerite Dellière était considérée comme ayant été dûment mariée à Henri-Jacques Lebaudy. Deux mois plus tard, Augustine réintégrait la France avec sa fille. Mais, à leur arrivée au Havre, la police des frontières émit des doutes sur la régularité du passeport, étant donné les dernières rectifications qui y avaient été apportées à l'étranger. Obligée de retourner aux États-Unis avec Jacqueline pour aplanir le litige soulevé par leur changement d'état civil, Augustine engagea un détective privé, M. Sudreau, dit Harris, afin de l'aider à débrouiller l'affaire. Celui-ci se montra fort efficace. Ayant entrepris des démarches auprès de la légation suisse à New York, il obtint des autorités helvétiques la reconnaissance de la filiation de Jacqueline et la transcription, par la municipalité des Eaux-Vives, en marge de l'acte de naissance de l'intéressée, du jugement rendu le 4 août 1920 par le *surrogate* américain. Ce fut alors que Sudreau, alias Harris, suggéra que le meilleur moyen de régulariser définitivement la situation serait de procéder à un mariage blanc, en France, entre Jacqueline, encore mineure, et son propre fils Roger. Augustine fut séduite par cette idée rocambolesque et le trio embarqua sur le *Paris*.

De retour en France, Augustine se mit en devoir de préparer, avec Sudreau, la cérémonie en trompe l'œil qui devait unir le jeune Roger, ravi de l'aubaine, à la très affriolante Jacqueline Lebaudy, qui venait d'avoir dix-sept ans. Conformément à la parole donnée, le fiancé se garda d'importuner la fiancée et ce « couple fantoche » enchanta, par sa grâce et sa pureté, les parents qui eux aussi, maintenant, rêvaient de lier leur sort pour le meilleur et pour le pire. On allait faire d'une pierre deux coups, d'un bonheur de frime deux bonheurs sincères. Toute la compagnie se retrouva à Lapalud. Enfiévrée par le souvenir des festivités impériales de Jacques, Augustine, qui avait été à bonne école, voulut que la bourgade au grand complet participât aux réjouissances. En prévision du mariage religieux, elle dépensa sans compter pour restaurer la façade et le chœur de la vieille église, repeindre çà et là des palissades et des volets.

Quelque peu inquiet de cette prodigalité, le curé, l'abbé Curenier, ne savait quelle attitude prendre face à son intarissable donatrice. Son embarras augmenta quand il apprit que Mme Augustine Dellière-Lebaudy souhaitait qu'il la mariât à M. Sudreau père le jour même où il marierait M. Sudreau fils à Mlle Jacqueline Lebaudy. Les papiers étant en règle des deux côtés, pouvait-il refuser ? Le pays était en émoi. Des journalistes accouraient des environs et de Paris. La folie lebaudienne tournant la tête à Augustine comme elle avait tourné jadis la tête à son amant, elle avait déjà englouti vingt mille francs pour parfaire l'accueil des invités. En souvenir de l'empire du Sahara et de ses anciens « sujets » maures, elle avait baptisé sa maison de Lapalud « villa Maurette ». Le soir, on allumait des lampions multicolores dans les rues. La fanfare municipale jouait à tous les échos. Chaque jour, l'heureuse mère lançait des sous, des billets de banque et des dragées par la fenêtre pour attirer les passants.

Des gamins se battaient pour les ramasser. Puis, soudain, il y eut un arrêt inexplicable dans les préparatifs. Huit jours avant la date prévue pour la double cérémonie religieuse, le curé reçut un télégramme par lequel Mme Augustine Lebaudy, s'étant absentée, lui annonçait que les deux unions étaient remises « à une date ultérieure ». Interrogé au sujet de l'affaire par le reporter Géo London, du *Journal*, l'abbé Curenier soupira qu'il n'y avait pas eu et qu'il n'y aurait pas de bénédiction nuptiale en son église, les intéressés ayant changé d'avis dans l'intervalle. Mais le mariage civil des jeunes gens ne fut pour autant ni retardé, ni dépourvu de faste. En sortant de la mairie, les nouveaux conjoints jetèrent à la foule des badauds, au lieu de dragées, des pièces d'or. Ils furent acclamés comme les mécènes de la petite commune vauclusienne. Le lendemain, le maire de Lapalud, M. Joseph Lespinasse, interviewé par des envoyés spéciaux, déclarait : « Le mariage, je l'ai célébré comme tous les autres. Les papiers étaient en règle, bien sûr ! Je l'ai déjà expliqué à des journalistes venus de Montélimar et d'Avignon. Je leur ai remis un registre de l'état civil. » Et il ajouta, pensant aux largesses d'Augustine envers ses administrés : « On a beau dire, une personne comme ça, c'est une bénédiction pour un pays ! » Cet hommage, feu Amicie Lebaudy, la bienfaitrice du G.M.O., l'eût accueilli avec satisfaction. Sans le savoir, Augustine, par ses extravagances, prolongeait celles qui avaient cours dans la famille de son impérial compagnon. Elle avait acquis le droit de porter ce patronyme, sinon par le mariage, du moins par une sorte d'insanité fraternelle qui l'associait, au-delà des formalités, à tous les rêveurs, qu'ils fussent fondateurs d'empire, astronautes, fêtards ou philanthropes impénitents.

Ayant marié sa fille, Augustine songea, par une sorte d'émulation sentimentale, à « se ranger » elle-même. Après les incroyables secousses qu'elle avait subies dans sa jeunesse, elle estimait avoir droit, enfin, à un bonheur de calme et d'honorabilité. Cependant, la presse, aguichée par ses aventures passées, ne lui laissait pas de répit. Le public insatiable voulait en savoir toujours plus sur sa « liaison maritale » avec l'ex-empereur du Sahara. Certains reporters étaient d'une indiscrétion frisant l'insolence. Ceux qui feignaient de la plaindre pour ses déboires riaient sous cape de sa naïveté. En évoquant devant l'un d'eux, Max Massot, les hauts et les bas de ses amours tragiques, elle soupira : « Que voulez-vous ? Ajouter de la publicité au nom de Lebaudy qui n'a que trop traîné dans les journaux ? L'a-t-on assez sali, vilipendé, et pourquoi [1] ? »

Alors que Massot, avide de révélations croustillantes, notait au vol les moindres mots de la confession, Augustine réfléchissait, à part soi, à l'étrange destin de tous les Lebaudy, si différents dans leurs entreprises et si semblables dans l'acharnement qu'ils y apportaient. A les comparer entre eux, elle se disait que chacun avait un grain et que ce n'était pas l'extrême pauvreté, mais l'extrême richesse qui poussait les hommes aux pires folies. N'en faisait-elle pas à son tour l'expérience devant ce journaliste inconnu à qui elle racontait sa vie en l'embellissant ? Ne suffisait-il pas de la rencontre d'une imagination, d'une ambition et d'une fortune hors du commun pour créer un mélange explosif capable d'ébranler les cerveaux les mieux

1. Max Massot, article du *Journal*, avril 1922.

équilibrés ? Augustine avait cru tuer Jacques Lebaudy à coups de revolver. Mais il l'avait contaminée et continuait de divaguer à travers elle. Il lui avait souvent parlé des mirages du Sahara qui incitaient les voyageurs à voir une oasis, une source, un palais là où il n'y avait que l'infini du désert. Or, semblable illusion, elle l'avait eue, quelques semaines auparavant, dans la paisible bourgade du Vaucluse transformée par la kermesse nuptiale. Le sucre, les dirigeables, les maisons ouvrières, les sables du Sahara, les fantasmes impériaux, les ambitions politiques françaises et jusqu'aux flonflons du mariage blanc de Lapalud, tout se tenait, pensait-elle, tout procédait du même élan irréfléchi et chaleureux. La leçon qu'elle tirait à présent de ce tohu-bohu était claire. A force d'être ballottée par les bizarreries des uns et des autres, elle avait appris que le meilleur moyen de jouir d'une existence à la fois mouvementée comme celle qu'elle avait connue avec ce fou de Jacques et entourée de considération et de sécurité comme chaque femme peut l'espérer aux approches de la cinquantaine, c'était encore d'épouser un homme de poids que son métier de détective privé avait habitué à braver tous les dangers et à démêler toutes les embrouilles. Ayant fait confiance au fils de l'habile Sudreau-Harris pour assurer l'avenir de sa fille, elle ne pouvait faire moins que de s'adresser au père du jeune homme pour assurer le sien propre.

Certes, Henri-Charles Sudreau avait eu pour sa part un passé conjugal agité. Ayant perdu sa première femme, morte peu de temps après le mariage, il était en instance de divorce avec la deuxième. Mais, dans quelques semaines au plus, il en serait débarrassé. Il n'y avait donc pas à hésiter sur le parti à prendre. Augustine pressa le mouvement. Le couple des mariés novices et celui des parents inspirés par leur exemple émigrèrent simultanément à Paris, le premier en voyage de noces, le second en voyage de fiançailles. Il fallut à peine huit mois à la mère pour connaître des satisfactions de cœur analogues à celles de sa fille. Dès que le divorce du prétendant d'Augustine eut été confirmé, elle exigea qu'il tînt parole. Il s'exécuta sans tergiverser, et même avec une bonne humeur rassurante. Le 4 octobre 1922, Henri-Charles Sudreau, dit Harris, détective privé, épousait, à la mairie du seizième arrondissement de

Paris, Augustine-Léonie-Marguerite Dellière, sans profession, veuve de Jacques Lebaudy.

Après huit ans d'une vie commune traversée d'orages, Jacqueline décidait de rompre avec Roger Sudreau. Le divorce fut prononcé par le tribunal civil de la Seine, le 28 mai 1930, aux torts exclusifs de l'époux, celui-ci ayant, selon le jugement, « manqué gravement à la foi conjugale ». Le couple avait eu un enfant : la garde en fut laissée pendant sa minorité à la mère, avec droit de visite du père qui, par ailleurs, était condamné aux dépens.

Quant à Augustine, témoin impuissant de ce naufrage, elle confiait à ses voisins que, tout compte fait, sa fille avait eu moins de chance qu'elle « avec les hommes ». Sudreau-Harris était, disait-elle, aussi bon mari que bon détective. Loin de se désintéresser des activités policières de son conjoint, elle se passionnait pour ses filatures, car elle y voyait le moyen de participer aux espoirs et aux angoisses d'autrui, sans ressentir les atteintes directes des événements. Après avoir cédé à l'enchaînement vertigineux des mirages du vivant de Jacques, voici qu'elle souhaitait, comme une authentique Lebaudy, en être le jouet, par procuration, jusqu'à la fin de ses jours.

A soixante-dix-sept ans, retirée à Nice, elle remâchait encore ses souvenirs d'impératrice des sables. Elle mourut le 20 novembre 1950, avec une discrétion qu'Amicie Lebaudy, l'aïeule terrible, secrète et généreuse, l'inabordable passagère du « ballon captif », eût sans doute appréciée comme une marque suprême de savoir-vivre.

BIBLIOGRAPHIE SUCCINCTE

Voici quelques-uns des ouvrages que j'ai consultés pour écrire ce livre :

BENOÎT-GUYOT, Georges, *Les Colonisations manquées*, De Gigord, 1948.

BARRIÈRE, Marcel, *La Vie secrète de Mme Baudley*, Émile Paul, 1948.

ELEB, Monique, *Le Groupe des Maisons ouvrières*, Paris, 1908 ; Parenthèses, 1994.

GUILLEMINAULT, Gilbert, *Du premier jazz au dernier tsar*, comprenant l'important chapitre dû à Louis Sapin : « La folle équipée de Jacques Lebaudy », Denoël, 1969.

WALDECK-ROUSSEAU, René, « Plaidoyer dans l'affaire Max Lebaudy », *L'Illustration*, 1894.

Différents journaux français de l'époque, dont *Le Journal, Le Matin, Le Figaro, Le Rire, Le Progrès, Le Gaulois, L'Illustration, La Revue des Deux Mondes, Icare* (revue de l'aviation française), etc.

Achevé d'imprimer en septembre 1999
sur presse Cameron
par Bussière Camedan Imprimeries
à Saint-Amand-Montrond (Cher)
et relié par Diguet-Deny
à Breteuil-sur Iton

Édition exclusivement réservée
aux adhérents du Club
Le Grand Livre du Mois
15, rue des Sablons
75116 Paris
réalisée avec l'aimable autorisation des éditions Grasset

N° d'impression : 1460-992729/4.
Dépôt légal : septembre 1999.

Imprimé en France

ISBN 2-7028-3629-1

